다자이, 다자이

다자이, 다자이

박성민 엮고 옮김

시와서

차례

1장

2장

3장

4장

1장

뜰 한구석
복숭아꽃이 피었다

사적인 편지

이모님. 오늘 아침에는 긴 편지를 받았습니다. 제 건강 상태, 또 장래의 생활에 대해 여러모로 걱정해주셔서 감사합니다. 하지만 저는 요즘 제 장래 생활에 대해 아무것도 계획하지 않게 되었습니다. 허무가 아닙니다. 체념도, 아닙니다. 어설픈 전망 따위를 하며, 오른쪽으로 갈까 왼쪽으로 갈까, 저울질하며 진중하게 재어보기만 하고 있다가는 오히려 비참한 실패를 하겠지요.

내일의 일을 생각하지 마라, 라고 그 사람도 말씀하셨습니다. 아침에 눈을 뜨고 오늘 하루를 충실히 사는 것, 저는 요즘 그것 하나만을 명심하고 있습니다. 저는 거짓을 말하지 않게 되었습니다. 허영이나 타산이 아닌 공부를 조금씩 할 수 있게 되었습니다. 내일만을 믿고 그때그때 자리를 얼렁뚱땅 넘기는 일도 지금은 없어졌습니다. 하루하루만이 무척 소중해졌습니다. 결코 허무가 아닙니다.

지금 저에게는 하루하루의 노력이 전 생애의 노력입니다. 전쟁터의 사람들도 어쩌면 같은 마음인지 모르겠습니다. 이모님도 이제부터는 공연히 앞일을 걱정하지는 마십시오. 의심하다 실패하는 삶만큼 보기 흉한 것도 없습니다. 우리는 믿습니다. 한 치의 벌레에게도 닷 푼의 진심이 있습니다. 쓴웃음을 지으시면 안 됩니다. 순수하게 믿는 사람만이 여유롭습니다.

나는 문학을 그만두지 않을 것입니다. 나는 믿어서 성공할 것입니다. 안심하십시오.

번민 일기

○월 ○일

우체통에 살아 있는 뱀을 던져 넣은 자가 있다. 분노. 하루에 스무 번, 자기 집 우체통을 들여다보는 안 팔리는 작가를 조롱하는 자가 한 짓이 틀림없다. 기분이 나빠, 하루 종일 드러누움.

○월 ○일

고뇌를 팔지 말게, 하고 지인이 편지를 보냈다.

○월 ○일

몸 상태가 안 좋다. 혈담이 계속 나온다. 고향에 알렸지만, 믿지 않는 눈치다.

뜰 한구석, 복숭아꽃이 피었다.

○월 ○일

150만의 유산이 있었다고 한다. 지금은 얼마가 있는지, 전혀 모른다. 8년 전, 호적에서 파였다. 형의 정에 의지하여, 오늘까지 살아왔다. 앞으로, 어떻게 하지? 스스로 생활비를 번다는 건, 꿈에도 생각해본 적이 없다. 이대로라면, 죽기밖에 방법이 없다. 오늘, 지저분한 짓을 했으니, 꼴좋게 됐군, 문장의 더러움, 어설픔.

단 가즈오 씨 찾아오다. 단 씨에게 40엔을 빌리다.

○월 ○일

단편집《만년》을 교정. 이 단편집으로 마지막이 되는 게 아닐까, 하고 문득 생각한다. 그럴 게 뻔하다.

○월 ○일

지난 1년 동안, 나에게 악담을 하지 않은 사람은, 세 명? 더 적을까? 설마?

○월 ○일

누나의 편지.

"방금 돈 20엔을 보냈으니 받거라. 늘 돈을 독촉하니 나도 정말 난처하구나. 어머니에게 말할 수도 없고, 내가 가진 돈으로만 마련하려니 정말 힘이 든단다. 어머니도 돈은 자유롭지 않으셔. (중략) 돈은 함부로 쓰지 말고 아껴 써야 한다. 지금은 조금이나마 잡지사에서 받고 있겠지. 남에게 너무 의지하지 말고 열심히 참고 살아라. 무슨 일을 하든 조심하거라. 몸조심하고, 친구와 너무 어울리지 않는 편이 좋을 것이다. 조금이라도 모두가 안심할 수 있도록 하거라. (후략)"

○월 ○일

하루 종일, 꾸벅꾸벅. 불면이 시작됐다. 이틀 밤. 오늘 밤 잠이 들지 못하면, 사흘 밤.

○월 ○일

새벽녘, 의사한테 가는 오솔길. 어김없이 다나카 씨의 시를 떠올린다.

"이 길을 울면서 나 걸었네, 내가 잊으면 누가 알리오."

의사에게 억지를 부려, 모르핀을 쓴다.

정오가 지나 눈을 뜨니, 푸른 잎의 반짝임, 불안하고 슬폈다. 건강해지자, 하고 생각했습니다.

○월 ○일

부끄럽고 부끄러워 견딜 수 없는 것, 그 한가운데를, 아내는 아무렇지도 않게 말로써 찔렀다. 펄쩍 뛰었다. 나막신 신고 기찻길로! 순간, 우뚝 멈춰 선다. 화로를 걷어찼다. 양동이를 걷어찼다. 방에 들어가 쇠주전자를 장지문에. 장지문 유리가 소리를 냈다. 밥상을 걷어찼다. 벽에 간장. 밥공기와 접시. 내 몸을 대신한 것이다. 이렇게까지 부수지 않으면, 나는 살 수가 없었다. 후회 없음.

○월 ○일

172센티미터의 털북숭이. 부끄러움 때문에 죽다. 그런 문구를 떠올리고, 혼자서 킥킥 웃었다.

○월 ○일

야마기시 가이시 씨 찾아오다. 사면초가야, 하고 내가 말하니, 이니, 이면초가 쯤이겠지, 하고 정정했다. 아름답게 웃고 있었다.

○월 ○일

말하지 않으면, 슬픔이 없는 것처럼 보인다고 했던가*. 꼭, 들어주었으면 하는 것이 있습니다. 아니, 이제 됐습니다. 그냥, —— 어젯밤, 1엔 50전 때문에 아내와 세 시간이나 말다툼을 했습니다. 너무나 마음이 아픕니다.

○월 ○일

밤에, 혼자서 변소에 가지 못한다. 등 뒤에, 머리가 작은, 흰 유카타를 입은 홀쭉한 열대여섯 살의 남자아이가 서 있다. 지금 나에게, 뒤를 돌아보는 것은, 목숨을 거는 일이다. 분명, 머리가 작은 남자아이가 있다. 야마기시 가이시 씨의 말로는, 그건 내 5, 6대조 조상이 말할 수 없이 잔인한 짓을 했기 때문이라고 한다. 그럴지도 모른다.

○월 ○일

소설을 완성했다. 이렇게 기쁜 일이었던가. 다시 읽어보니, 좋은 글이다. 친구 두세 명에게 알렸다. 이걸로 빚을 전부 다 갚을 수 있다. 소설의 제목, 〈흰 원숭이의 광란〉.

---

* 에도 시대의 선승 하쿠인 선사의 "두 눈을 보라. 말하지 않으면 슬픔이 없는 것처럼 보인다(君看双眼色 不語似無憂)"에서 따온 말이다. 누구나 마음속에 슬픔을 갖고 있지만 말하지 않으면 없는 것처럼 보인다는 의미다.

답안 낙제

'소설의 수업(修業)에 대해 말하라'라는 문제는 나를 곤혹스럽게 했다. 취직 시험을 치러 갔는데 소학교 산수 문제가 나와 크게 당황하고 있는 모습과 비슷하다. 원의 면적을 구하는 공식도, 학구산(鶴龜算)* 공식도 가물가물해, 차라리 방정식으로 풀면 풀 수 있겠는데, 하며 아주 난감해하는 상태와 얼마쯤 비슷하다.

이것저것 복잡하고, 온몸이 근질근질하고, 쑥스러운 기분이 든다.

출발선에 나란히 서서, 출발 신호를 알리는 탕 소리가

* 소학교 산수에서 학과 거북의 머릿수 합계와 다리 수 합계를 이용하여 각각 몇 마리가 있는지 계산하는 것.

미처 나기도 전에 뛰쳐나가, 심판이 제지하는 소리도 귀에 들리지 않고, 힘껏 달리고 달려 마침내 백 미터, 만족스러운 표정으로 결승선에 뛰어들고, 사진반의 플래시를 기다리며 싱긋 웃어보지만, 분위기가 조금 이상해, 갈채 소리는 전혀 없고, 꽉 찬 관중들은 다들 안타까운 듯 그 선수의 얼굴을 보고 있다. 선수는 그제야, 퍼뜩 자신의 실수를 깨닫고, 부끄럽다고도, 괴롭다고도, 도저히 뭐라 말을 할 수가 없다.

또다시 나는 맥없이 출발점으로 되돌아가, 온몸이 녹초가 된 채, 헉헉 거친 숨을 내뱉으며, 출발선에 섰다. 부정출발의 벌칙으로, 다른 선수보다 1미터 뒤에서 달려야 한다. "준비!" 심판의 냉혹한 목소리가 또다시 울려 퍼진다. 나는 착각하고 있었다. 이 레이스는 백 미터 경기가 아니었다. 천 미터, 5천 미터, 아니, 더 긴 마라톤이었다.

이기고 싶다. 추하게 초조해하며 온 힘을 다하고 이렇게 지쳐버렸지만, 그래도 나는 선수다. 이기지 않으면 살아갈 수 없는 단순한 선수다. 누군가, 이 가망 없는 작은 선수를 위해 성원을 보내줄 고매한 사람은 없을까.

재작년 무렵, 나는 내 생애에 마침표를 찍었다. 죽는구나 생각했다. 믿었다. 그렇게 되어야만 하는 숙명을 믿었다. 나 자신의 생애를 나 스스로 예언했다. 신을 모독한 것이다.

죽는다고 생각한 건 나만이 아니었다. 의사도 그렇게 생각했다. 가족도 그렇게 생각했다. 친구도 그렇게 생각했다.

하지만 나는 죽지 않았다. 나는 어지간한 신의 총아임이 틀림없다. 바라던 죽음은 주어지지 않고, 그 대신 현세의 엄숙한 괴로움이 주어졌다. 나는 부쩍부쩍 살이 쪘다. 애교도 멋도 없는, 그저 통통하고 덩치 큰 서른 살의 추한 남자일 뿐이었다. 신은 이 남자를, 세상의 조소와 지탄과 경멸과 경계와 비난과 유린과 묵살의 화염 속에 던져 넣었다. 남자는 그 화염 속에서 한참을 꿈틀댔다. 고통의 울부짖음은 세상의 비웃는 소리를 점점 더 크게 만들 뿐이어서, 남자는 모든 표정과 말을 억누르고, 그저 애벌레처럼 꿈틀댔다. 무시무시하게도, 남자는 점점 더 튼튼해지고, 귀염성이라고는 모조리 다 사라져버렸다.

성실함. 이상하게도 성실해졌다. 그리고 또다시 출발점에 섰다. 이 선수는 가망이 있다. 경쟁은 마라톤이다. 백미터, 2백 미터 단거리 경주라면, 이 선수는 이제 아예 가망이 없다. 발이 너무 무겁다. 보아라, 저 둔중한 소와 같은 풍모를.

변한다면 변하는 법이다. 50미터 레이스라면, 먼저 금세기에 그의 기록을 깰 자는 없을 거야, 하고 그의 팬이 속삭이고, 선수 자신도 남몰래 그걸 인정했던, 영민하기가 매와 같은 다자이 오사무라는 젊은 작가의 새로이 태어난 모습은 이런 걸까. 머리는 나쁘고, 문장은 어설프고, 학문은 없고, 모든 게 서툴고, 곰 발에, 게다가 추한 외모, 딱 하나 장점이라면 몸이 튼튼하다는 것뿐이었다.

의외로, 오래 사는 건 아닐까.

이런 바보 같은 소리를 하자면, 끝이 없다. 뭐라도 하나, 실속 있는 이야기라도 해볼까. 실속이 있다, 없다, 그것도 이상한 소리로, 옛날에 발전기를 발명한 박사가 우쭐하고 있으니, 어느 귀부인이, 그런데 박사님, 그 전기라는 게 생겼다고 해서 그게 뭐 어떻게 된다는 거죠? 하고 묻기에, 박사가 너무 기가 막혀, 부인, 이제 막 태어난 아기에게 넌 이제 뭘 건설할 거니? 하고 물어보세요, 라고 대답하고는 도망갔다는 이야기가 있는데, 수천만 년 전의 세상에는 어떤 동물이 살았을까, 1억 년 후에는 이 세상이 어떻게 변할까, 그런 이야기는 도대체 실속이 있는 이야기일까, 아닐까. 나는 실속 있는 이야기라고 생각하지만.

허영(vanity). 그 강인함을 얕잡아 봐서는 안 된다. 허영은 어디에나 있다. 절 안에도 있다. 감방 안에도 있다. 심지어 무덤 속에도 있다. 그것을 보고도 못 본 척해서는 안 된다. 똑바로 마주 보고 자신의 허영과 이야기해보는 것이 좋다.

나는 남의 허영을 비난하려는 생각은 없다. 다만, 자신의 허영을 거울에 비춰 찬찬히 바라보라는 말이다. 보고 난 결과는 굳이 남에게 말하지 않아도 된다. 말할 필요는 없다. 그렇지만 한 번은 거울을 마주보고 바라볼 필요는 있다. 그것을 한 번 본 사람, 그 사람은 생각이 깊어질 것이다. 겸손해질 것이다. 신의 문제를 생각하게 될 것이다.

거듭 말한다. 나는 허영이 나쁘다고 말하지는 않는다. 그것은 어떤 경우, 생활의 의욕과 연결된다. 높은 리얼리티와도 연결된다. 심지어 애정과도 연결된다. 나는 많은 사상가들이 신앙과 종교를 설명하면서도, 한 발짝 바로 앞에 있는 현세의 허영에 대해서는 솔직하게 말하지 않는 것이 이상하게 여겨질 뿐이다. 파스칼은, 조금 말했지만.

허영은 애처로운 것이다. 그리운 것이다. 그만큼, 힘겨운 것이다.

기나긴 일이다. 마라톤이다. 지금 당장 한꺼번에 모든 문제를 해결하려고 생각하지 마라. 천천히 준비해서 하루하루를, 적어도 후회 없이 보내라. 행복은 3년 늦게 찾아온다, 라고 했던가.

염천 한담

덥네요. 올해는 특히 더운 것 같습니다. 정말로 덥습니다. 이렇게 더운데, 일부러 이런 시골까지 와주셔서, 참으로 송구스럽지만, 저는 이야깃거리가 하나도 없습니다. 겉옷을 벗으세요. 어서요. 이렇게 더운데 바깥을 걷는 건 힘들어요. 양산을 쓰고 걸으면 조금은 괜찮을지도 모르지만, 남자가 양산을 쓰고 걷는 건 그다지 본 적이 없네요.

정말이지 아무것도 할 얘기가 없어 큰일입니다. 그림 이야기? 그것도 어렵군요. 예전에는 저도 꽤 그림을 좋아해서, 화가 친구도 많았고, 그 친구들의 작품을 마구 헐뜯으며 으스댄 적도 있었는데, 작년 가을, 혼자 몰래 그림을 그려보고, 그 어설픔에 내가 생각해도 기가 막혀 그 후로는 그림 이야기는 한마디도 안 하기로 결심했습니다. 요즘은 친구들 작품에도 그저 감탄하려고 명심하고 있습니다.

그림 이야기는 아니지만, 며칠 전, 신바시 연무장에 분라쿠(文樂)*를 보러 갔습니다. 분라쿠는 학창 시절에 한 번 보았을 뿐, 거의 10년 만에 본 것이어서, 에이조, 분고로** 같은 사람들이 지난 10년 동안 더 경탄할 만큼의 원숙함이 더해졌으리라 크게 기대하고 갔더니, 보니까 조금도 달라진 게 없었습니다. 10년 전 그대로 똑같았습니다. 제 기대에는 어긋났지만, 저는 다시 생각해봤습니다. 이렇게 변하지 않았다는 것 하나만으로도, 정말로 경탄하고 감복해야 하는 게 아닐까. 진보하지 않았다, 라고 하면 좋지 않게 들리겠지만, 퇴보하지 않았다, 라고 바꿔 말하면 어떨까요. 퇴보하지 않는다는 것, 그건 대단한 것입니다.

수련이란 천재에 이르는 방법이 아니라, 젊은 시절의 타고난 재능을 언제까지나 유지하기 위해 필요한 것입니다. 퇴보하지 않는다는 것, 그것은 굉장한 노력입니다. 어느 정도의 높이를, 언제까지나 변함없이 유지할 수 있는 예술가는 대단한 사람입니다. 대부분의 사람은 나이와 함께 퇴보합니다. 나이가 들면 저절로 예술이 훌륭해진다는 말

* 시대물이나 설화를 소재로 한 전통 인형극.

** 요시다 에이조, 요시다 분고로. 분라쿠 인형극의 인형 조종자.

은 거짓입니다. 남보다 갑절의 수련을 하지 않으면, 어떤 천재라도 추락하고 맙니다. 한 번 추락하면 그걸로 끝입니다.

변하지 않는다는 것, 그것만으로도 이만저만 힘든 일이 아닙니다. 하물며 기술적인 진보라느니, 커다란 비약이라느니, 그런 건 창작자 자신에게는 생각할 수도 없을 만큼 두려운 것이며, 그것이야말로 하늘의 뜻을 기다리는 것 말고는 달리 방법이 없습니다. 종이 한 장만큼의 미미한 진보라니, 천만의 말씀. 스스로는 끊임없이 고민하며 나아간다고 생각해도, 옆에서 보기에는 그저 현상 유지 정도로밖에 보이지 않는 법입니다.

창작 경험이고 뭐고 아무것도 없는 구경꾼들이, 저 작가는 도무지 발전이 안 보여, 그 긴 세월 동안 아무런 변화도 없군, 하고 건방진 말을 하지만, 그 긴 세월이 얼마만큼의 수련으로 유지되어 왔는지 조금도 알지 못합니다. 권위 있는 비평을 하려면, 먼저 자신도 어느 정도는 창작의 고생을 겪어봐야 하는 것입니다.

정말 덥네요. 이런 더운 날에는 차라리 솜옷이라도 입어보면 어떨까요. 오히려 시원할지도 모릅니다. 아무튼 덥네요.

정직 노트

정직하게 말할 것입니다. 나는 앞으로 쓰려는 소설이나 과거에 썼던 소설의 의도, 바람, 그 고심을 그다지 말하고 싶지 않습니다. 그건 나의 오만함 때문은 아니라고 생각합니다. 써봤는데, 그것이 상대방에게 받아들여지지 않으면 더 이상 어쩔 도리가 없기 때문이기도 하고, 앞으로 쓰려고 생각하는 소설을, 아무리 열정을 갖고 말한다 해도, 지금의 내가 그렇게 훌륭한 대걸작으로 쓸 수 없다는 것을 알고 있기 때문이기도 하며, 현재 내가 가진 작가로서의 역량도 대충 헤아려지기 때문이기도 하지만, 다른 무엇보다도 나는 지금, 더 정직해지지 않으면 안 되기 때문입니다. 많은 작가가 분수에 맞지 않는 포부를 천진난만하게 말하는 것을 듣고 있으면, 나는 그 사람들이 부럽다는 생각이 들고, 살아 있는 것이 너무도 괴로워졌습니다. 알겠습니까? 그렇지만 나는 그런 작가들을 도저히 내칠 수가 없습니다.

나 역시 약을 먹을 때는, 먼저 그 약품에 붙어 있는 효능서를 꼼꼼히 읽고, 영어로 쓰여 있는 부분까지 어설픈 어학 실력으로 독파하고 나서야 비로소 유쾌한 미소를 띠며 그 우수(하다고 쓰여 있는) 약품을 복용하고는, 당장에라도 약효가 나타난 듯한 착각에 빠져 만족한 상태가 됩니다. 효능서 없는 약품이란, 줄 없는 바이올린처럼, 한없이 불안한 마음이 듭니다. 효능서는 없어서는 안 되는 것이겠지요.

하지만 예술이 약인지 아닌지에 관해서라면, 살짝 의문이 생깁니다. 효능서가 붙어 있는 탄산음료를 생각해보십시오. 위장에 도움이 된다는 교향곡을 생각해보십시오. 벚꽃 구경을 가는 것이 축농증을 고치기 위한 것은 아닐 테지요.

나는 이런 생각까지 합니다. 예술에 대해 의의나 이익이 쓰여 있는 효능서를 바라는 사람은 오히려 자신이 살아 있는 것에 자신감을 갖지 못하는 병약한 인간이라고 말입니다. 씩씩하게 살아가는 노동자, 군인은 지금이야말로 예술을, 아름다움을, 마음껏 순수하게 즐기고 있는 게 아닐까요.

"뒤마 같은 작가, 재미있지 않나요? 보들레르의 시, 무척 특이하죠. 얼마 전에, 누구였더라, 슈니츨러인가 하는 사람의 단편을 읽어봤는데, 그 사람도 좋더군요."

이렇게 상쾌하게 문학을 즐기고 있는 것입니다. 그런 사람들에게는 효능서가 그다지 필요하지 않은 것 같습니다. 마음이 놓입니다. 효능서를 필요로 하는 사람은 당신들(용서하십시오) 병약한 자들뿐입니다. 정신 차리세요.

나는 불친절한 의사인지도 모릅니다. 나는 내 작품을, 걸작이라고 말한 적이 없습니다. 졸작이라고 말한 적도 없습니다. 그것은 걸작도 졸작도 아니라는 걸 알기 때문입니다. 조금은 괜찮은 쪽인지도 모르겠습니다. 하지만 지금까지, 나는 한 편도 걸작을 쓰지 않았습니다. 그건 분명합니다.

얼마 전에 어느 선배와도 했던 이야기인데, 실제로 나 스스로 마음속으로 깨끗이 납득할 수 있는 작품을, 한 편이라도 내가 썼다면, 또 지금 당장이라도 쓸 수 있는 자신이 있다면, 왜 이렇게 시궁쥐처럼 우왕좌왕하고 있겠습니까. 긴자 거리를, 의사당 앞을, 제국대학 교내를, 말쑥한 차림으로 당당히 걸어보지만, 도저히 안 됩니다. 당분간,

나는 안 되겠지요.

그렇게 말하니, 그 선배도, 하긴 누가 "선생의 대표작은 뭔가요?" 하고 물으면, 글쎄요, 《벚꽃 동산》이나 《세 자매》* 같은 건 어떨까요, 하고 조심스레 대답할 수 있다면 좋겠는데, 하고 조용히 대답했습니다.

* 안톤 체호프의 대표 희곡.

2장

추억의 어두운 꽃이
하늘하늘 날아다녀

《부악 백경》 머리말*

1909년 초여름, 혼슈의 북쪽 끝에서 태어난 여린 남자 아이가, 그래도 남들의 본보기가 되어야 한다고 잘난 척 하다가, 좌절하고, 또 좌절하며, 그래도 살아 있는 한은, 한줄기 자부심을 가지려고 어리석은 고생을 하고 있는 것을, 하나하나 글로 써서 남겨놓으려는 것이 내가 하는 일의 테마 전부입니다. 전쟁터에서 돌아온 사람과 전날 밤 늦게까지 이야기를 나누었는데, 인간은 어디에 있든, 또 무엇을 하든, 단 하나, '옳음'이라는 것 하나만 명심하고 있으면 된다고, 둘이서 거의 동시에 똑같은 말을 해서, 기

* 〈부악 백경〉, 〈여학생〉, 〈달려라 메로스〉 등 8편의 단편이 실린 창작집의 서문.

분이 좋았습니다.

나의 문학이 엉터리라는 둥, 허풍이라는 둥, 당치않은 해석을 하지 않고, 내가 처음부터 끝까지 정확함만을 마음에 새기며 늘 괴롭게 살아가고 있다는 걸 알고 계시는 독자가 몇 명이나 있을까. 하지만 작가는 자신의 문학에 대해 일언반구도 강요하는 듯한 말을 해서는 안 됩니다. 그저 독자의 솔직한 심정을 기다릴 뿐입니다.

1942년 겨울.

도쿄 팔경

(고난 속의 누군가에게 보낸다)

이즈(伊豆)의 남쪽, 온천이 솟는다는 것 말고는 딱히 무엇 하나 괜찮은 구석이 없는 시시한 산촌이다. 가구 수는 서른쯤 되는 것 같다. 이런 곳은 숙박비가 쌀 거라는 이유 하나만으로 나는 그 삭막한 산촌을 골랐다. 1940년 7월 3일의 일이다. 그 무렵은 나도 조금은 금전적인 여유가 있었을 때다. 하지만 앞날은 여전히 깜깜했다. 소설을 하나도 못 쓰게 될지도 모른다. 두 달 동안, 소설을 하나도 못 쓴다면, 나는 원래대로 무일푼으로 돌아간다. 그렇게 생각하면 아슬아슬한 여유였지만, 내게는 그만한 여유도 10년 만에 처음 있는 일이었다. 내가 도쿄에서 생활하기 시작한 것은 1930년 봄이다. 그 무렵 나는 H라는 여자와 함께 살고 있었다.* 고향의 큰형이 매달 충분한 돈을 보내주고 있었지만, 어리석은 두 사람은 서로 사치를 경계하면서도, 월말에는 꼭 전당포에 하나둘 살림을 갖다 날라야 했다. 결국 6년 만에 H와 헤어졌다. 내게는 이불과 책상, 전기스탠드, 고리짝 하나만 남았다. 많은 빚도 음울하게 남았다. 그로부터 2년이 흘러, 나는 어느 선배의 도움으로 평범한 중매 결혼을 했다. 그리고 2년이 더 지나서야 나는 비로소 한시름을 놓았다. 보잘것없는 창작집도 벌써 열 권 가까이 출간되었다. 주문이 들어오지 않아도, 내가 열심히 써서 가져가면, 세 편 중에 두 편은 사줄 것 같다는 느낌이 들기 시작했다. 이제부터는 애교도 뭣도 없는 어른들이 일하는 세상이다. 쓰고 싶은 것만 쓰고 싶다.

무척이나 아슬아슬하고 불안한 여유였지만, 나는 진심으로 기뻤다. 적어도 한 달 동안은 돈 걱정 없이 내가 쓰고 싶은 것만 쓰며 살 수 있다. 나는 그때의 내 처지가 거짓말처럼 느껴졌다. 황홀과 불안이 뒤섞인 묘한 설렘 때문에 오히려 일이 손에 잡히지 않아 어쩔 줄을 몰랐다.

도쿄 팔경. 나는 이 단편을 언젠가 천천히, 온 힘을 다해 써보고 싶다고 생각했다. 10년 동안의 내 도쿄 생활을,

* 도쿄대학에 입학한 다자이는 고등학생 시절 알고 지내던 게이샤 오야마 하쓰요를 불러와 함께 살았다.

그때그때의 풍경에 의지하여 써보고 싶다고 생각했다. 나는 올해 서른두 살이다. 일본의 윤리에서, 이 나이는 이미 중년에 접어들었음을 의미한다. 내가 내 육체와 열정에 물어보아도, 슬프지만 그것을 부정할 수는 없다. 기억해두는 게 좋다. 너는 이제, 청춘을 잃은 것이다. 진지한 얼굴의 삼십 대 남자다. 도쿄 팔경. 나는 이것을, 청춘에 대한 고별사로, 누구에게도 아첨하지 않고 쓰고 싶었다.

저 녀석도 점점 속물이 돼가는군, 그런 무지한 험담이 미풍을 타고 소곤소곤 내 귓가에 들려온다. 나는 그때마다 마음속으로 강하게 대답한다. 난 처음부터 속물이었어. 자네, 몰랐었나? 사실은 그 반대야. 문학을 평생의 업으로 삼기로 마음먹었을 때, 어리석은 이들은 오히려 나를 우습게 보았다. 나는 희미하게 웃을 뿐이다. 영원히 늙지 않는 청춘, 그건 배우들의 세계에 있을 뿐, 문학에는 없다.

도쿄 팔경. 나는 지금이야말로 이것을 써야 한다고 생각했다. 당장은 약속한 일도 없다. 백 엔이 넘는 여유도 있다. 쓸데없이 황홀과 불안의 복잡한 한숨을 내쉬며, 좁은 방 안을 이리저리 서성거릴 때가 아니다. 나는 끊임없이 올라가야 한다.

도쿄 대지도를 한 장 사서, 도쿄 역에서 마이바라 행 기차를 탔다. 놀러 가는 게 아니야. 일생의 중대한 기념비를, 온 힘을 다해 세우려고 가는 거야, 하고 거듭 자신을 타일렀다. 아타미에서 이토 행 기차를 갈아타고, 이토에서 시모다 행 버스를 타고, 이즈 반도의 동쪽 해안을 따라 세 시간, 덜컹대는 버스를 타고 남쪽으로 내려가, 가구 수 서른쯤 되는 황량한 산촌에 내렸다. 여기라면 하룻밤에 3엔을 넘지는 않을 거라고 생각했다. 우울하기 짝이 없는 초라하고 작은 여관 네 채뿐이다. 나는 F라고 하는 여관을 골랐다. 네 곳 중에서는 그나마 좀 나아 보였기 때문이다. 심술궂게 생긴 품위 없는 하녀를 따라 2층으로 올라가 방으로 들어가자, 나는 나잇값도 못 하고 울고 싶은 기분이 들었다. 3년 전 내가 세 들어 살던 오기쿠보의 하숙방이 떠올랐다. 그 하숙집은 오기쿠보에서도 제일 싸구려였다. 그런데 이불방 옆에 딸린, 다다미 여섯 장짜리 이 방은 그 하숙방보다 더 싸구려에다 초라하다.

"다른 방은 없습니까?"

"예. 다 찼어요. 여기가 시원해요."

"그렇습니까?"

나는 바보 취급을 당했던 것 같다. 옷차림이 추레해서인지도 모른다.

"숙박비는 3엔 50전과 4엔 두 종류가 있어요. 점심 식사는 따로 받고요. 어떻게 하시겠어요?"

"3엔 50전짜리로 주십시오. 점심은 먹고 싶을 때 말하겠습니다. 열흘쯤 여기서 일하려고 왔습니다만."

"잠시만 기다려주세요." 하녀는 아래층으로 내려갔다가 잠시 후 방으로 돌아오더니,

"저기, 장기 체류이시면 미리 숙박비를 내야 합니다만."

"그렇습니까? 얼마 내면 될까요?"

"뭐, 되는 대로……" 하고 얼버무린다.

"50엔 드릴까요?"

"네?"

나는 책상 위에 지폐를 쭉 늘어놓았다. 견딜 수가 없었다.

"전부 다 드리지요. 90엔입니다. 담뱃값만 여기 지갑에 남겨두겠습니다."

왜 이런 곳에 왔을까, 하고 생각했다.

"죄송합니다. 그럼 받아두겠습니다."

하녀는 나갔다. 화를 내서는 안 된다. 해야 할 중요한 일이 있다. 지금의 내 처지에는 이 정도의 내우가 걸맞을지도 모르지, 하고 억지로 타이르며, 트렁크 안에서 펜, 잉크, 원고지 따위를 꺼냈다.

10년 만에 얻은 여유는 이런 결과였다. 하지만 이 슬픔

도 내 숙명 안에 규정되어 있었다고 그럴싸하게 자신을 타이르며, 이곳에서 참고 일을 시작했다.

놀러 온 게 아냐. 온 힘을 다해 일하려고 온 거야. 나는 그날 밤, 어두운 전등불 아래, 도쿄 대지도를 책상 가득 펼쳤다.

몇 년 만에 이런 도쿄 전도라는 것을 펼쳐보는 걸까. 10년 전, 처음 도쿄에 와서 살게 되었을 때는 이 지도를 사는 것조차 부끄러워, 남들이 촌놈이라고 비웃지는 않을까 몇 번이나 망설이다가, 마침내 한 부, 에잇 하고 결심하고, 괜히 난폭하고 자조적인 말투로 지도를 사서 품에 넣고, 거친 걸음으로 하숙집으로 돌아갔다. 밤에 방문을 걸어 잠그고, 살며시 지도를 펼쳤다. 빨강, 초록, 노랑의 아름다운 무늬. 나는 숨을 멈추고 넋이 나간 채 그것을 바라보았다. 스미다가와 강. 아사쿠사. 우시고메. 아카사카. 아아, 전부 다 있구나. 가려고 마음만 먹으면, 언제든지 갈 수 있는 거야. 나는 기적을 보는 듯한 기분마저 들었다.

이제는, 누에가 갉아먹은 뽕잎처럼 생긴 도쿄 시를 보아도, 거기에 사는 사람들 저마다의 생활 모습만 떠오른다. 이런 정취 없는 벌판으로, 전국에서 줄줄이 사람들이 몰려오고, 땀범벅이 되어 밀고 밀리며, 땅 한 뼘을 다투려 일희일비하고, 서로 질시하고 반목하며, 암컷은 수컷을 부르고, 수컷은 미친 듯이 돌아다닌다. 느닷없이, 아무 맥락도 없이 《우모레기》라는 소설 속의 슬픈 문장 하나가 마음속에 떠올랐다. "사랑이란" "아름다운 것을 꿈꾸며, 더러운 짓을 하는 거야." 도쿄와는 직접적으로 아무 상관도 없는 말이다.

도쓰카(戸塚). ── 처음에, 나는 여기에 살았다. 내 바로 위의 형이 이곳에 혼자 집 한 채를 빌려서 조각 공부를 하고 있었다. 나는 1930년에 히로사키 고등학교를 졸업하고, 도쿄 제국대학 프랑스 문학과에 입학했다. 프랑스어는 한 자도 이해하지 못했지만, 그래도 프랑스 문학 강의를 듣고 싶었다. 다쓰노 유타카 선생을 어렴풋이 경외했다. 나는 형네 집에서 3백 미터 남짓 떨어진 신축 하숙집의 방 한 칸을 빌려 살았다. 비록 친형제라도 한 지붕 아래 살면 껄끄러운 일도 생기는 법이다, 라고 둘 다 입 밖에 내지는 않았지만, 그런 생각에 서로 암묵적으로 동의하여, 우리는 같은 동네이기는 했지만 3백 미터쯤 떨어져 살기로 한 것이다. 그리고 석 달 후, 형은 병사했다. 스물일곱 살이었다.

형이 죽은 후에도 나는 도쓰카의 하숙집에 살았다. 2학기부터는 학교에 거의 나가지 않았다. 세상 사람들이 가장 두려워하던 음지의 일을 아무렇지도 않게 도왔다.* 그 일에서 자칭 한 역할을 한다고 하는 과장된 몸짓의 문학에는 경멸로 대했다. 나는 그 기간 동안, 순수한 정치가였다. 그해 가을, 여자가 고향 마을에서 찾아왔다. 내가 부른 것이다. H다. H는 내가 고등학교에 들어간 해 초가을에 알게 되었고, 그 후로 3년을 함께 놀았다. 천진한 게이샤다. 나는 이 여자를 위해, 혼조 구(區)의 히가시 고마가타에 방 하나를 얻어주었다. 목공소의 2층이다. 육체적인 관계는 그때까지 한 번도 없었다. 고향에서 큰형이 이 여자 일로 찾아왔다. 7년 전에 아버지를 여읜 형제는 도쓰카 하숙집의 어두침침한 방에서 만났다. 형은 급격히 변해버린 동생의 흉악한 태도에 눈물을 흘렸다. 반드시 결혼시켜준다는 조건으로, 나는 형에게 여자를 보내주기로 했다. 여자를 보내는 교만한 동생보다, 떠맡는 형이 몇 배는 더 힘들었을 것이다. 보내기 전날 밤, 나는 처음으로 여자를 안았다. 형은 여자를 데리고 일단 시골로 내려갔다. 여자는 내내 멍하게 있었다. 무사히 집에 도착했다는 사무적인 딱딱한 어투의 편지가 한 통 왔을 뿐, 그 후로는 아무 소식도 없었다. 여자는 무척 안심한 모양이었다. 나

* 대학 입학 후 고등학교 선배를 따라 가족들 몰래 좌익 활동을 시작했다.

는 그게 불만이었다. 나는 온 가족을 놀라게 하고 어머니에게는 지옥 같은 고통을 겪게 하면서까지 싸우고 있는데, 저 혼자서 무지한 자신감에 늘어져 있는 게, 꼴사납다고 생각했다. 매일매일 내게 편지를 보내야 한다고 생각했다. 나를 더 많이 좋아해줘야 한다고 생각했다. 하지만 여자는 편지를 쓰기 싫어하는 사람이었다. 나는 절망했다. 아침 일찍부터 밤늦게까지, 늘 하던 그 일을 돕느라 바빴다. 남의 부탁을 받고 거절한 적은 없었다. 그쪽 일에서 내 능력의 한계가 조금씩 보이기 시작했다. 나는 거듭 절망했다. 긴자 뒷골목 바의 여자가 나를 좋아했다. 사랑을 받는 시기가, 누구에게나 한 번은 있다. 불결한 시기다. 나는 이 여자를 꾀어서 함께 가마쿠라의 바다에 뛰어들었다. 마음에 상처를 입었을 때가 죽을 때라고 생각했다. 신(神)을 거스르는 그 일에서도 나는 마음에 상처를 입었다. 육체적으로도 도저히 불가능한 일을, 그저 비겁하다는 소리를 듣고 싶지 않다는 이유만으로 떠맡아버렸다. H는 자기 혼자만의 행복밖에 생각하지 않는다. 너만 여자는 아니다. 내 괴로움을 알아주지 않았기 때문에, 지금 너는 이런 응보를 받는 것이다. 꼴좋다. 나는 가족 모두와 사이가 멀어지게 된 것이 가장 괴로웠다. H와의 일로, 어머니도, 형도, 이모도 내게 질려버렸다는 자각이 내가 바다에 투신

한 가장 큰 직접적인 원인이었다. 여자는 죽고, 나는 살았다. 죽은 여자에 대해서는 전에도 몇 번이나 썼다. 내 생애의 오점이다. 나는 유치장에 들어갔다. 조사 끝에 기소유예되었다. 1930년 말의 일이다. 형들은 죽다 살아난 동생에게 다정하게 대해주었다.

큰형은 H를 게이샤라는 직업에서 해방시켜주었고, 그 이듬해 2월 내게 돌려보냈다. 약속은 철저히 지키는 형이다. H는 태평한 얼굴로 찾아왔다. 고탄다(五反田)에 있는 시마즈 공(公)의 분양지 옆에 30엔짜리 집을 빌려 살았다. H는 부지런히 일했다. 나는 스물세 살, H는 스무 살이었다.

고탄다 시절은 바보의 시절이다. 나는 의지라고는 전혀 없었다. 새 출발의 희망은 티끌만큼도 없었다. 가끔 찾아오는 친구들의 기분만 맞춰주며 살았다. 내가 부린 추태의 전과를 부끄러워하기는커녕, 슬그머니 자랑스러워하기까지 했다. 참으로 파렴치한, 저능의 시기였다. 학교는 여전히 거의 나가지 않았다. 모든 노력이 싫었고, 태평한 얼굴로 H를 바라보며 살았다. 바보다. 아무것도 하지 않았다. 슬금슬금 또, 예전의 그 일을 돕기 시작했다. 하지만 이번에는 아무런 열정도 없었다. 백수의 허무. 그것이 도쿄 한 구석에 처음으로 집을 가졌을 때의 내 모습이다.

그해 여름에 이사를 갔다. 간다의 도보초(同朋町). 그리고 늦가을에는 간다의 이즈미초(和泉町). 그 이듬해 초봄에는 요도바시의 가시와기(柏木). 딱히 이야기할 거리는 없다. 슈린도(朱麟堂)라는 호(號)로 하이쿠 짓기에 빠져 있곤 했다. 노인이다. 늘 해오던 그 일을 돕느라 두 번이나 유치장에 들어갔다. 유치장에서 나올 때마다 나는 친구들의 말을 따라 다른 곳으로 옮겨 다녔다. 아무런 감격도, 아무런 혐오도 없었다. 그렇게 하는 것이 모두를 위해 좋은 거라면, 그렇게 하자, 라는 무기력하기 짝이 없는 태도였다. 멍하게 H와 둘이서, 하루하루 암수의 동굴 생활을 보내고 있는 것이다. H는 쾌활했다. 하루에 두세 번은 내게 상스러운 말로 고함을 치다가도, 그러고는 아무렇지도 않게 영어 공부를 시작한다. 내가 시간표를 짜서 공부를 시킨 것이다. 하지만 그다지 익히지는 못한 것 같다. 영어는 알파벳을 겨우 읽을 수 있을 정도가 되자, 어느새 그만둬버렸다. 편지는 여전히 서툴렀다. 쓰는 걸 싫어했다. 내가 초안을 써주었다. 불량배 두목의 아내 노릇을 좋아하는 것 같았다. 내가 경찰서에 끌려가도 그다지 당황해하지 않았다. 심지어 내가 관여하던 그 사상을 호방하고 의로운 것으로 해석해 유쾌해할 때조차 있었다. 도보초, 이즈미초, 가시와기, 나는 스물네 살이 되어 있었다.

그해 늦봄에, 나는 또 이사를 해야 했다. 또 경찰에 불려가게 될 것 같아 도망친 것이다. 이번에는 조금 문제가 복잡했다. 고향의 큰형에게 터무니없는 말로 둘러대, 두 달 치 생활비를 한꺼번에 받아, 그걸 들고 가시와기를 떠났다. 살림살이는 여기저기 친구에게 조금씩 맡겨두고, 소지품만 갖고 니혼바시 핫초보리의 목재소 2층, 다다미 여덟 장짜리 방으로 옮겼다. 나는 홋카이도 출신의 '오치아이 가즈오'라는 남자가 되었다. 역시나 불안했다. 가진 돈을 아꼈다. 어떻게든 될 거라는 무능한 생각으로 자신의 불안을 얼버무렸다. 내일에 대한 마음가짐은 아무것도 없었다. 아무것도 할 수 없었다. 가끔씩 학교에 나가, 강당 앞 잔디밭에서 몇 시간이고 말없이 누워 있었다.

어느 날, 같은 고등학교를 나온 경제학부 학생에게서 불쾌한 이야기를 들었다. 믿는 도끼에 발등이 찍힌 듯한 기분이 들었다. 설마, 하고 생각했다. 그 이야기를 해준 학생을, 오히려 미워했다. H에게 물어보면 알 수 있는 일이라고 생각했다. 서둘러 핫초보리의 목재소 2층으로 돌아왔지만, 도저히 입이 떨어지지 않았다. 초여름의 오후다. 석양이 방으로 비쳐 들어, 더웠다. 나는 H에게 오라가 맥주 한 병을 사 오라고 했다. 당시 오라가 맥주는 25전이었다. 그 한 병을 마시고, 또 한 병, 하고 말하자, H는 고함을 쳤다. 고함 소리를 들으니 나도 감정이 격해져, 오늘 학생에게 들었던 이야기를, 애써 아무렇지 않은 말투로, H에게 꺼내놓을 수 있었다. H는, 어이가 없네, 하고 고향 사투리로 말하고는, 화가 난 듯 살짝 눈살을 찌푸렸다. 그냥 그것뿐, 조용히 바느질을 계속했다. 미심쩍은 기색은 어디에도 없었다. 나는 H를 믿었다.

그날 밤 나는 좋지 않은 것을 읽었다. 루소의 참회록이었다. 루소 역시 아내의 과거 일로 괴로워했던 장면을 읽고는, 견딜 수가 없었다. H를 믿을 수 없게 된 것이다. 그날 밤, 끝내 실토하게 만들었다. 학생에게 들은 말은 전부 다 사실이었다. 더 심했다. 더 파고들면 끝이 없을 것 같은 느낌마저 들었다. 나는 도중에 그만둬버렸다.

내가 그 방면의 일로 남을 탓할 자격은 없다. 가마쿠라에서 있었던 일은 어땠었던가. 하지만 나는 그날 밤 부글부글 끓었다. 나는 그날까지 H를 마치 손안의 옥구슬처럼 아끼며 자랑스러워하고 있었음을 깨달았다. 이 사람을 위해 살아 있었던 것이다. 나는 이 여자를, 순수한 그대로 구해냈다고만 생각했다. H가 하는 말을, 곧이곧대로 단순하게 받아들였다. 친구들에게도 나는, H가 이렇게 심지가 굳기 때문에 나한테 올 때까지, 끝까지 자신을 지켜낼 수 있었다며 자랑스럽게 말했다. 어리숙하다는 말로도, 무슨 말로도 형용할 수가 없다. 바보 멍청이다. 여자란 게 어떤 건지 몰랐다. 나는 H의 기만이 밉다는 생각은 조금도 들지 않았다. 고백하는 H가 사랑스럽다는 생각까지 했다. 등을 어루만져주고 싶다고 생각했다. 나는 그저, 안타까웠다. 그리고 정이 떨어졌다. 내 삶의 모습을 몽둥이로 깨부수고 싶었다. 말하자면, 견딜 수가 없어진 것이다. 나는 자수를 하러 갔다.

검사의 심문이 일단락되고, 나는 죽지도 않고 도쿄의 거리를 걸었다. 돌아갈 곳은 H의 방 말고는 없다. 나는 H가 있는 곳으로 서둘러 돌아갔다. 쓸쓸한 재회다. 함께 비굴하게 웃으며, 우리는 힘없이 손을 잡았다. 핫초보리를 떠나, 시바 구 시로가네 산코초. 커다란 빈집의 별채 하나를 빌려 살았다. 고향의 형들은 어처구니없어하면서도 슬며시 돈을 보내주었다. H는 마치 아무 일도 없었던 듯이 활달했다. 하지만 나는 조금씩, 겨우겨우 바보에서 깨어나기 시작했다. 유서를 썼다. 〈추억〉 백 장이다. 이제는 이 〈추억〉이 내 첫 작품이 되었다. 유년 시절부터 저지른 나쁜 짓들을 거짓 없이 글로 남겨두고 싶었다. 스물넷 가을의 일이다. 풀이 무성한 황량한 뜰을 바라보며, 나는 별채에 앉아, 완전히 웃음을 잃었다. 나는 또 죽을 작정이었다. 같잖다면, 같잖다. 무사사태평이었다. 나는 여전히 인생을 드라마라고 여겼다. 아니, 드라마를 인생이라고 여겼다. 이제는 누구에게도 힘이 되어주지 못한다. 유일한 H마저도 남의 손때가 묻었다. 살아갈 의욕이 아예, 하나도, 없었다. 어리석은 멸망의 백성으로 죽겠다고 각오를 굳혔다. 시대의 흐름이 내게 맡긴 역할을 충실히 해내겠다고 생각했다. 언제나 남에게 져주겠다는, 슬프고 비굴한 역할을.

하지만 인생은 드라마가 아니었다. 2막은 아무도 모른다. '멸망'이라는 역할로 등장했다가, 마지막까지 퇴장하지 않는 남자도 있다. 작은 유서를 쓴다는 심정으로, 이런 더러운 아이도 있었습니다, 하고 내 유년과 소년 시절의 고백을 써 내려갔다. 그런데 그 유서가 오히려 맹렬하게 마음에 걸리고, 내 허무에 희미한 불빛이 켜졌다. 죽을 수가 없었다. 그 〈추억〉 한 편만으로는 도저히 만족할 수 없었던 것이다. 어차피, 여기까지 썼다. 전부를 쓰고 싶다. 오늘까지의 생활 전부를 모조리 털어놓고 싶다. 이것도, 저것도, 쓰고 싶은 게 한가득 쏟아졌다. 먼저, 가마쿠라에서 있었던 일을 썼지만, 별로다. 뭔가 부족하다. 또 한 편을 썼지만 여전히 성에 차지 않는다. 숨을 고르고, 또 다음 작품에 들어간다. 마침표를 찍지 못하고, 작은 쉼표만의 연속이다. 끊임없이 이리 와, 이리 와, 하는 저 악마에게 나는 조금씩 잡아먹히고 있었다. 분수도 모르고 강적에게 대드는 꼴이다.

나는 스물다섯이 되었다. 1933년이다. 나는 그해 3월에 대학을 졸업해야만 했다. 하지만 나는 졸업은커녕 아예 시험조차 치러 가지도 않았다. 고향의 형들은 모른다. 바보 같은 짓을 저질렀으니, 그에 대한 사죄로 학교만큼은 졸업해주겠지, 그 정도의 성실함은 갖고 있는 녀석이야, 하고 속으로 기대하고 있었던 모양이다. 나는 보기 좋게 배신했다. 졸업할 마음은 없다. 나를 믿고 있는 사람을 속인다는 건, 미쳐버릴 것 같은 지옥이다. 그 후로 2년 동안, 나는 그 지옥 속에서 살았다. 내년에는 반드시 졸업하겠습니다. 제발, 1년만 봐주십시오, 하고 큰형에게 울면서 사정하고는 배신한다. 그 해도 그랬다. 그 이듬해도 그랬다. 죽을 것 같은 반성과 자조와 공포 속에서, 죽지도 못하는 나는 염치없는, 유서라는 이름의 일련의 작품에 온통 빠져 있었다. 이것만 완성할 수 있다면. 그것은 어차피, 풋내기의 거들먹거리는 감상(感傷)일 뿐이었는지도 모른다. 하지만 나는 그 감상에, 목숨을 걸었던 것이다. 나는 완성된 작품을 커다란 종이봉투에 세 편, 네 편 모았나. 조금씩 작품 수도 늘어갔다. 나는 그 봉투에 붓으로 "만년(晩年)"이라고 썼다. 그 일련의 유서의 제목인 셈이었다. 이제 이걸로 끝이라는 의미다.

시바에 있는 빈집을 사겠다는 사람이 생겨, 우리는 그 해 이른 봄, 그곳을 떠나야 했다. 학교를 졸업하지 못해, 고향에서 오는 송금도 꽤 줄었다. 더 절약해야 했다. 스기나미 구 아마누마 3초메. 지인 집의 방 한 칸을 빌려 살았다. 그 사람은 신문사에 근무하고 있는 훌륭한 시민이었다. 그 후로 2년을 함께 살며, 정말로 큰 신세를 졌다. 나는 학교를 졸업할 마음은 더더욱 없어졌다. 바보처럼, 오로지 그 창작집을 완성하는 데만 힘을 쏟고 있었다. 무슨 말이라도 들을까봐 무서워, 나는 그 지인에게도, 또 H에게까지도 내년에는 졸업할 수 있다고, 그때그때 모면할 거짓말을 했다.

일주일에 한 번쯤은 교복을 차려입고 집을 나갔다. 학교 도서관에서 이것저것 적당히 책을 빌려 읽다가 졸기도 하고, 작품의 초고를 쓰기도 하다가, 저녁에는 도서관을 나와 아마누마의 집으로 돌아갔다. H도, 그 지인도, 조금도 나를 의심하지 않았다. 겉으로는 아무렇지 않았지만, 나는 속으로 몰래 초조해했다. 시시각각, 마음이 조급해졌다. 고향에서 송금이 끊기기 전에 글을 완성하고 싶었다. 하지만 너무나도 힘이 들었다. 쓰고는 찢어버렸다. 나는 꼴사납게도 그 악마에게 골수까지 잡아먹히고 있었다.

1년이 흘렀다. 나는 졸업하지 않았다. 형들은 격노했지만, 나는 또 울며 사정했다. 내년에는 반드시 졸업하겠습니다, 하고 뻔한 거짓말을 했다. 그것 말고는 송금을 부탁할 구실이 없었다. 진짜 사정은 도저히 누구에게도 말할 수가 없었다. 나는 공범자를 만들고 싶지 않았던 것이다. 오직 나 하나만, 완전히 몹쓸 자식으로 만들고 싶었다. 그렇게 하면 주변 사람들의 입장도 분명해져, 조금이라도 나에게 말려들어 힘들어할 일은 없을 거라고 믿었다. 유서를 써야 하니까 1년만 더, 그런 어처구니없는 이야기를 꺼낼 수는 없다. 나는 독선적인, 소위 시적인 몽상가로 여겨지는 게 무엇보다 싫었다. 형들도 내가 그런 비현실적인 말을 꺼낸다면, 돈을 보내고 싶어도 그만둘 수밖에 달리 도리가 없었을 것이다. 진짜 사정을 알면서도 돈을 보낸다면, 형들은 나중에 세상 사람들로부터 공범자로 불릴 것이다. 그건, 싫다. 나는 끝까지 교활하고 언변 좋은 동생이 되어 형들을 속여야 한다고, 이 말은 도둑놈도 훔치는 데는 그만한 사정이 있다는 말과 비슷하지만, 그런 식으로 진지하게 생각했다. 나는 여전히 일주일에 한 번은 교복을 입고 등교했나. H도 신문사 지인도, 내년의 졸업을 아름답게 믿고 있었다. 나는 막다른 곳에 몰렸다. 다가오는 하루하루가 암흑이었다. 나는 악인이 아니다! 사람을 속인다는 건, 지옥이다.

얼마 후, 아마누마 1초메로 이사. 3초메는 통근하기 불편하다는 이유로 지인이 그해 봄 1초메의 시장 뒤쪽으로 이사를 했다. 오기쿠보 역 근처로, 그가 불러줘서 우리도 함께 따라가 그 집 2층 방을 빌렸다. 나는 매일 밤 잠을 이룰 수가 없었다. 싸구려 술을 마셨다. 가래가 마구 쏟아졌다. 병일지도 모른다고 생각했지만, 그런 데 신경 쓸 형편이 아니었다. 빨리 저 봉투 안의 작품을 마무리하고 싶었다. 염치없고 태평한 생각일 테지만, 나는 그것을 모두에 대한 사죄로 남기고 싶었다. 내가 할 수 있는 최대한의 일이었다. 그해 늦가을, 나는 겨우겨우 다 써냈다. 스물 몇 편 중, 열네 편만 고르고, 나머지는 실패한 원고와 함께 불태워 버렸다. 고리짝 한가득 분량은 충분히 되었다. 뜰에 들고 나가 깨끗이 태웠다.

"근데, 왜 태웠어?" H가 그날 밤, 불쑥 말을 꺼냈다.

"필요 없어졌으니까." 나는 미소를 지으며 답했다.

"왜 태웠어?" 같은 말을 되풀이했다. 울고 있었다.

나는 주변 정리를 시작했다. 빌린 책은 다 돌려주고, 편지와 노트도 넝마장수에게 팔았다. 《만년》의 봉투 안에는, 따로 편지 두 통을 몰래 넣어두었다. 준비가 다 된 것 같다. 나는 밤마다 싸구려 술을 마시러 나갔다. H와 얼굴을 마주하는 게 두려웠다.

그 무렵, 한 학교 친구가 동인잡지를 내지 않겠냐고 제안을 해왔다. 나는 반쯤 건성으로 들었다. '푸른 꽃'이라는 이름으로라면, 해도 좋다고 답했다. 장난삼아 한 말이 현실이 되었다. 여기저기서 이름을 올리겠다는 사람이 나왔다. 그중에 두 명과 나는 아주 친해졌다. 나는 소위 청춘의 마지막 열정을 거기서 불태웠다. 죽음 전야의 난무다. 함께 술에 취해, 멍청한 학생들을 두드려 팼다. 더러워진 여자들을 가족처럼 사랑했다. H의 옷장은 H도 모르는 사이에 텅텅 비어 갔다. 순문학 잡지 《푸른 꽃》*은 그해 12월에 나왔다. 단 한 권을 내고, 동료들은 뿔뿔이 흩어졌다. 목적 없는 이상한 열광에 질려버린 것이다. 그 후 우리 셋만 남았다. 세 바보라고 불렸다. 하지만 이 세 사람은 평생의 친구가 되었다. 나는 두 사람에게 배운 게 많이 남아 있다.

이듬해 3월, 또 슬슬 졸업의 계절이다. 나는 모 신문사 입사 시험을 치기로 했다. 함께 사는 지인에게도, H에게도, 다가오는 졸업으로 바쁜 것처럼 보이고 싶었다. 신문기자가 되어 평생 평범하게 사는 거야, 라며 모두를 밝게 웃게 했다. 어차피 들통날 일인데도, 하루라도, 한시라도,

* 1934년 다자이를 비롯해 나카하라 주야, 쓰무라 노부오 등 18명의 동인이 참가해 만든 잡지. 다자이는 〈로마네스크〉를 실었다.

더 오래 평화를 유지하고 싶어서, 남을 깜짝 놀라게 하는 것이 너무나 두렵기에, 나는 있는 힘을 다해 그 순간을 모면할 거짓말을 한다. 나는 늘, 그런 식이었다. 그러다가 막다른 곳에 몰리고, 죽음을 생각한다. 결국은 들켜서 몇 배나 더 크게 남을 놀라게 하고 화나게 할 뿐인데도, 분위기를 깨는 현실을 도저히 말할 수가 없어, 한순간만 더, 한순간만 더, 하고 스스로 허위의 지옥 속으로 빠져든다. 물론 신문사 따위에 들어갈 마음도 없었고, 시험에 붙을 리도 없었다. 완벽한 기만의 진지(陣地)도 이제는 무너져 가고 있었다. 죽을 때가 왔다, 고 생각했다. 나는 3월 중순, 혼자 가마쿠라에 갔다. 1935년이다. 나는 가마쿠라의 산에서 목을 매려고 했다.

가마쿠라의 바다에 뛰어들어 소동을 벌인 지 5년 만이다. 나는 헤엄을 칠 수 있기 때문에 바다에서 죽기는 힘들었다. 예전에 확실하다고 들었던 목매기를 선택했다. 하지만 나는 또 꼴사납게 실패했다. 숨이 돌아온 것이다. 내 목은 남들보다 유난히 굵은지도 모르겠다. 목덜미가 벌겋게 짓무른 채, 나는 멍하니 아마누마의 집으로 돌아갔다.

자신의 운명을 스스로 규정하려다가 실패했다. 비틀비틀 집에 와보니, 낯설고 이상한 세계가 펼쳐져 있었다. H가 현관에서 내 등을 살며시 어루만졌다. 다른 사람들도 전부, 다행이다, 다행이야, 하고 나를 위로해주었다. 인생의 다정함에 나는 어안이 벙벙했다. 큰형이 시골에서 급히 올라와 있었다. 나는 큰형에게 엄하게 야단을 맞았지만, 그 형이 너무도 정겹고 반가웠다. 나는 태어나서 처음이라고 해도 좋을 만큼의 이상한 감정을 맛보았다.

생각지도 못했던 운명이 곧이어 펼쳐졌다. 그로부터 며칠 후, 격심한 복통이 나를 덮친 것이다. 나는 온종일 잠을 못 이루며 참았다. 유탄포*로 배를 따뜻하게 했다. 정신이 아득해지는 것 같아 의사를 불렀다. 나는 이불 채로 침대차에 실려, 아사가야의 외과병원으로 옮겨졌다. 바로 수술을 받았다. 맹장염이다. 병원에 늦게 간 데다, 유탄포로 따뜻하게 한 것이 오히려 상태를 악화시켰다. 복막에 고름이 흘러나와 힘든 수술이 되었다. 수술 후 이틀째가 되니, 목구멍에서 핏덩어리가 몇 개나 나왔다. 전에 생긴 가슴의 병이 불쑥 겉으로 드러난 것이다. 나는 거의 죽어가고 있었다. 의사조차 확실히 포기했지만, 악업(惡業)이 깊은 나는 조금씩 회복되었다. 한 달 후, 복부의 상처는 아물었다. 하지만 나는 전염병 환자로 세타가야구 교도의 내과병원으로 옮겨졌다. H는 늘 내 곁에 붙어 있었다. 키

* 뜨거운 물을 넣어 몸을 따뜻하게 하는 기구.

스하면 안 된다고 의사가 그랬어요, 하고 웃으며 내게 말했다. 그 병원 원장은 큰형의 친구였다. 나는 특별히 귀한 대접을 받았다. 넓은 병실을 두 개 빌려, 살림살이를 전부 병원으로 가져왔다. 5월, 6월, 7월, 슬슬 모기가 생기기 시작해 병실에 흰색 모기장을 치기 시작할 무렵, 나는 원장의 지시로 지바현 후나바시로 거처를 옮겼다. 바닷가다. 마을 변두리의 신축 집을 빌려 살았다. 전지요양의 의미였지만, 이곳도 내게는 나빴다. 지옥의 난이 시작되었다. 나는 아사가야의 외과병원에 입원해 있을 때부터 꺼림칙한 나쁜 습관이 들어버린 것이다. 마취제 사용이다. 처음에는 의사도 내 상처의 고통을 가라앉히기 위해 아침저녁 거즈를 갈 때 그걸 사용했는데, 머지않아 나는 그 약 없이는 잠을 이룰 수가 없었다. 나는 불면의 고통에는 극도로 약했다. 나는 매일 밤, 의사에게 부탁했다. 후나바시의 의사는 나를 이미 포기했다. 내가 부탁하면 언제나 상냥하게 들어주었다. 내과병원으로 다시 옮긴 후로도, 나는 원장에게 집요하게 부탁했다. 원장은 세 번에 한 번꼴로 마지못해 들어주었다. 이느새, 육체를 위해서가 아니라, 나 자신의 부끄러움과 초조함을 없애기 위해 의사에게 요구하게 되었다. 나는 외로움을 견뎌낼 힘이 없었다. 후나바시 집으로 돌아간 뒤로는 동네 병원에 가서, 불면과 중독

증상을 호소하며 그 약을 억지로 요구했다. 급기야는 그 심약한 동네 의사에게 억지로 진단서를 쓰게 해, 동네 약국에서 직접 약을 구했다. 정신이 들어보니, 나는 비참한 중독 환자가 되어 있었다. 순식간에 돈이 떨어졌다. 나는 그 무렵, 매달 90엔의 생활비를 큰형에게 받고 있었다. 그 이상의 돈은 형도 거절했다. 당연했다. 나는 형의 애정에 보답하려는 노력을 하나도 하지 않았다. 제멋대로 목숨을 가지고 장난만 치고 있을 뿐이다. 그해 가을 이후, 이따금 도쿄 거리에 나타나는 내 모습은 이미 꾀죄죄한 반미치광이였다. 그 시기의 온갖 한심한 내 모습을, 나는 전부 다 알고 있다. 잊을 수가 없다. 나는 일본에서 가장 천하고 더러운 청년이 되어 있었다. 10엔, 20엔의 돈을 빌리러 도쿄로 나간다. 잡지사 편집자의 면전에서 울어버린 적도 있다. 하도 끈질기게 부탁하는 바람에, 편집자에게 호통을 들은 적도 있다. 그 무렵은 내 원고도 조금은 돈이 될 가능성이 있었던 것이다. 내가 아사가야와 교도의 병원에 누워 있는 동안, 친구들이 부지런히 움직인 덕분에, 봉투 안의 내 '유서'는 두 편, 세 편, 괜찮은 잡지에 발표되었고, 그 반향에 따른 비난의 말도, 응원의 말도, 모두 내게는 너무나 강렬해, 당황과 불안으로 약물중독은 더 심해졌고, 이리저리 괴로워한 끝에, 뻔뻔하게 잡지사를 찾아가,

편집자, 어떨 때는 사장까지 면회를 요구하며 원고료 가불을 졸랐다. 스스로의 고뇌에 미쳐버린 나머지, 남들 역시 온 힘을 다해 살아가고 있다는 당연한 사실을 깨닫지 못했다. 그 봉투 속의 작품도, 한 편도 남기지 않고 다 팔아버렸다. 이제 팔 거라곤 아무것도 없다. 당장은 작품도 쓸 수 없었다. 이미 쓸거리가 고갈되어 아무것도 쓸 수 없었다. 그 무렵의 문단은 나를 가리켜, "재능은 있지만 덕이 없다"고 평했는데, 나 스스로는 "덕의 싹은 있지만 재능이 없다"고 믿었다. 나에게는 소위 글재주라는 것이 없다. 온몸을 부딪치며 나아가는 것 말고는 방법을 몰랐다. 고지식한 촌뜨기다. 사소한 은혜라도 입으면 그것이 너무도 무겁게 나를 짓눌러 견딜 수가 없어져, 오히려 될 대로 되라는 식의 파렴치한 짓만 하는 부류의 인간이다. 나는 엄격하고 보수적인 집안에서 자랐다. 빚을 지는 것은 최악의 죄였다. 빚에서 벗어나려고, 더 큰 빚을 졌다. 그 약물 중독도, 빚을 졌다는 수치심을 없애기 위해 더, 더, 스스로를 몰아붙인 것이었다. 약국에 갚아야 할 돈은 늘어나기만 했다. 나는 대낮에 긴자 거리를 훌쩍훌쩍 울며 걸은 적도 있다. 돈이 필요했다. 나는 스무 명 가까운 사람에게, 마치 강탈하듯이 돈을 빌렸다. 죽을 수가 없었다. 빌린 돈을 깨끗이 갚고 나서 죽고 싶다고 생각했다.

사람들은 더 이상 나를 상대해주지 않았다. 후나바시로 거처를 옮긴 지 1년 후, 1936년 가을에, 나는 자동차에 실려, 도쿄 이다바시구의 어느 병원으로 옮겨졌다. 하룻밤을 자고 눈을 떠보니, 정신병원의 병실이었다.

한 달을 거기서 보내고, 어느 맑은 가을날 오후, 겨우 퇴원을 허락받았다. 나는 마중을 나온 H와 둘이서 자동차에 탔다.

한 달 만의 만남이었지만, 둘 다 말이 없었다. 자동차가 달리기 시작하고, 얼마 후 H가 입을 열었다.

"이제 약은 끊을 거지?" 화가 난 말투였다.

"난 앞으로 안 믿을 거야." 나는 병원에서 깨달은 유일한 말을 했다.

"그래." 현실적인 H는 내 말을 뭔가 긍정적인 의미로 해석한 듯, 크게 고개를 끄덕이며, "사람은 믿을 게 못 돼" 하고 말했다.

"너도 안 믿어."

H는 거북한 듯한 표정을 지었다.

후나바시의 집은 내가 입원해 있는 동안 철거되어, H는 스기나미 구 아마누마 3초메에 있는 아파트의 방 한 칸에 살고 있었다. 나는 그곳에 머물렀다. 잡지사 두 곳에서 원고 주문이 들어왔다. 곧바로 퇴원한 날 밤부터, 나는 쓰기 시작했다. 소설 두 편을 완성하고 그 원고료를 들고 아타미에 가서, 한 달 동안 절제고 뭐고 없이 술을 마셨다. 앞으로 어떻게 해야 좋을지 알 수가 없었다. 큰형이 앞으로 3년간 매달 생활비를 보내주기로 했지만, 입원 전에 졌던 산더미 같은 빚은 그대로 남아 있었다. 아타미에서 좋은 소설을 쓰고, 그렇게 생긴 돈으로 눈앞에 닥친 가장 마음에 걸리는 빚만이라도 갚으려는 계획도 있었지만, 소설을 쓰기는커녕, 내 주변의 황량함을 견딜 수 없어, 그저 술만 퍼마시고 있었다. 나 자신이 구제 불능의 남자라는 걸 절실히 느꼈다. 아타미에서 빚은 오히려 더 늘어났다. 뭘 해도, 안 되는 것이다. 나는 완전히 패배한 꼴이었다.

나는 아마누마의 아파트로 돌아가, 모든 희망을 포기한 더러워진 육체를 털썩 눕혔다. 나는 벌써 스물아홉 살이었다. 아무것도 없었다. 도테라* 한 벌이다. H도 단벌이었다. 이제, 이쯤이 밑바닥이겠구나, 생각했다. 큰형이 매달 보내주는 돈에 매달려 벌레처럼 말없이 살았다.

그러나 그것은 아직, 밑바닥이 아니었다. 그해 이른 봄, 나는 어느 서양화가에게서 생각지도 못한 뜻밖의 이야기를 들었다. 아주 친한 친구였다. 나는 그 이야기를 듣고,

* 솜을 두툼하게 넣은 방한용 겉옷.

숨이 막히는 것만 같았다. H가 이미, 슬픈 잘못을 저지른 것이다.* 그 불길한 병원에서 나왔을 때, 자동차 안에서, 아무것도 아닌 나의 추상적인 말에, 무척 당황해하던 H의 모습이 문득 떠올랐다. 나는 H를 고생시켰지만, 그래도 살아 있는 한은 H와 함께 살아갈 작정이었다. 내 애정 표현이 서툴러서, H도, 또 그 서양화가도, 그걸 알아채지 못한 것이다. 이야기를 듣고 나서도, 나는 어떻게 할 수가 없었다. 나는 누구에게도 상처를 주고 싶지 않았다. 셋 중에서는 내가 가장 연장자였다. 나만이라도 침착하고 훌륭하게 대처하고 싶었지만, 나는 너무나 당황하고, 쩔쩔매고 갈팡질팡한 나머지, 오히려 두 사람에게 경멸을 받을 정도였다. 아무것도 할 수 없었다. 그러는 사이에 서양화가는 점점 발뺌을 하려고 했다. 나는 괴로워하면서도 H가 가여웠다. H는 이제 죽을 작정인 것 같았다. 도저히 더는 견딜 수가 없게 됐을 때, 나도 죽음을 생각한다. 둘이서 같이 죽자. 하나님도 용서해줄 것이다. 우리는 사이좋은 오누이처럼 여행을 떠났다. 미나카미 온천. 그날 밤, 두 사람은 산에서 자살을 시도했다. H를 죽게 해서는 안 된다고

* 다자이가 병원에 있는 동안 하쓰요는 다자이의 친구 고다테 젠시로와 불륜을 저질렀다. 고다테는 다자이의 집에서 술을 마시다가 하쓰요와의 관계를 털어놓았다.

생각했다. 나는 그렇게 되지 않도록 애를 썼다. H는 살았다. 나도 보기 좋게 실패했다. 약물을 사용했던 것이다.

우리는 결국 헤어졌다. H를 더 이상 붙잡을 용기가 내게 없었다. 버렸다는 말을 들어도 좋다. 인도주의 운운하는 허세를 부리며 아무렇지 않은 척해도, 앞으로 벌어질 하루하루의 추악한 지옥이 또렷이 보이는 것 같았다. H는 홀로 시골의 어머니 곁으로 돌아갔다. 서양화가의 소식은 몰랐다. 나는 혼자 아파트에 남아 자취 생활을 시작했다. 소주를 배웠다. 이가 후두둑 빠지기 시작했다. 나는 비루한 얼굴이 되었다. 아파트 근처의 하숙집으로 옮겼다. 제일 싸구려 집이었다. 나는 그게 나한테 어울린다고 생각했다. 이것이, 이승에서 보는 마지막 모습이구나, 문가에 서 있으니 달빛과 마른 들판은 달리는데, 소나무는 멈춰 서 있네. 나는 하숙집 방에서 혼자 술을 마시다가, 취하면 방에서 나와, 하숙집 문기둥에 기대어, 그런 엉터리 같은 노래를 나지막이 읊조릴 때가 많았다. 정말 친한 친구 두세 명 말고는 아무도 나를 상대해주지 않았다. 세상 사람들이 나를 어떻게 보고 있는지, 나도 조금씩 알게 되었다. 나는 무지하고 교만한 무뢰한, 백치, 하등하고 교활한 호색가, 가짜 천재 사기꾼으로, 온갖 사치를 부리며 살다가 돈이 떨어지면 자살극을 벌이며 고향의 가족들을 협박한다. 정숙한 아내를, 개나 고양이처럼 학대하다가, 끝내 내쫓았다. 그 밖에도 비웃음과 혐오와 분노가 담긴 온갖 소문들이 세상 사람들의 입에 오르내렸고, 나는 완전히 매장당해 폐인 취급을 받고 있었던 것이다. 나는 그걸 깨닫고, 하숙집에서 한 발짝도 밖으로 나가고 싶지 않았다. 술이 없는 밤에는 소금 전병을 씹으며 탐정소설을 읽는 것이 초라한 즐거움이었다. 잡지사에서도 신문사에서도 원고 주문은 하나도 없다. 또 아무것도 쓰고 싶지 않았다. 쓸 수가 없었다. 하지만 그 병에 걸린 동안 진 빚은, 아무도 독촉하는 사람은 없었지만, 나는 밤에 꿈속에서도 괴로워했다. 나는 벌써 서른 살이 되어 있었다.

어떤 계기로 그렇게 되었을까. 나는 살아야 한다고 생각했다. 고향집의 불행이 내게 그 당연한 힘을 준 것일까. 큰형이 국회의원에 당선됐고, 그 직후에 선거법 위반으로 기소되었다. 나는 큰형의 엄격한 인격을 경외한다. 주위에 나쁜 사람이 있었던 게 분명하다. 누나가 죽었다. 조카가 죽었다. 사촌 동생이 죽었다. 나는 그것들을 풍문으로 전해 들었다. 일찌감치 고향 사람들과는 모든 소식이 끊겨 버렸던 것이다. 잇따른 고향의 불행이, 누워 있는 내 상체를 조금씩 일으켜 세웠다. 나는 고향집의 거대함을 부끄러워했다. 부자의 자식이라는 핸디캡에 자포자기했던 것이다. 부당하게 혜택을 받고 태어났다는, 기분 나쁜 공포감이 어릴 때부터 나를 비굴하고 염세적으로 만들었다. 부자의 자식은 부자의 자식답게 지옥에 떨어져야 한다는 믿음을 갖고 있었다. 도망치는 건 비겁하다. 훌륭하게 악업의 자식으로 죽으려고 애를 썼다. 그런데 어느 날 밤, 정신을 차려보니, 나는 부자의 자식은커녕, 입고 나갈 옷조차 없는 천민이었던 것이다. 고향에서 보내주는 돈도 올해 안으로 끊긴다. 이미 호적에서도 파였다. 게다가 내가 태어난 고향집도 지금은 불행의 밑바닥에 있다. 이제 나에게는 남들이 황송해하는 타고난 특권이 아무것도 없다. 오히려 마이너스뿐이다. 그런 자각과 더불어, 또 하나의 계기가 있다. 하숙집 방에서 죽을 기백도 없이 누워 있는 동안, 내 몸이 신기하게도 눈에 띄게 튼튼해졌다는 사실도 아주 중요한 원인 중 하나일 것이다. 그 밖에도 나이, 전쟁, 역사관의 동요, 나태에 대한 혐오, 문학에 대한 겸허, 신은 있다, 등등 여러 가지를 들 수도 있겠지만, 인간이 변하는 계기를 설명한다는 건 아무래도 왠지 뻔하다. 최대한 정확을 기한 설명일지라도, 반드시 어딘가 거짓의 틈이 벌어져 있기 마련이다. 사람은 자신이 갈 길을 선택할 때 언제나, 이렇게 생각하면서, 또는 저렇게 생각하면서 길을 택하는 건 아니기 때문이다. 대부분의 경우 사람은 자기도 모르는 사이에, 낯선 벌판을 걷고 있는 것이다.

나는 서른 살의 초여름, 처음으로 진지하게, 작가로 살아가기를 바랐다. 생각하면, 늦은 바람이었다. 나는 살림살이 하나 없는 좁은 하숙방에서 열심히 글을 썼다. 하숙집 밥통에 저녁밥이 남아 있으면 몰래 주먹밥을 만들어 놓고, 한밤중에 글을 쓰다 배가 고플 때를 대비했다. 이번에는 유서로 쓰는 게 아니었다. 살기 위해 쓴 것이다. 어느 한 선배는 나를 격려해주었다. 세상 사람들이 하나같이 나를 미워하고 비웃어도, 이 선배만큼은 처음부터 끝까지 변함없이 나라는 인간을 가만히 응원해주었다.* 나는 그 귀한 신뢰에도 보답해야 한다. 드디어 〈우바스테〉라는 작품이 완성되었다. H와 미나카미 온천에 죽으러 갔을 때의 일을 솔직하게 썼다. 이건 금방 팔렸다. 잊지 않고 내 작품을 기다려준 편집자가 한 명 있었던 것이다. 나는 그 원고료를 허투루 쓰지 않고, 우선 전당포에서 나들이옷 한 벌을 찾아와 차려입고 여행을 떠났다. 고슈의 산이다. 각오를 새롭게 다지고, 긴 소설을 시작할 생각이었다. 고슈에는 꼬박 1년 있었다.** 긴 소설은 완성하지 못했지만, 단편은 열 편 이상 발표했다. 여러 사람들로부터 지지의

* 작가 이부세 마스지로, 물심양면으로 다자이를 도왔다.

** 이 무렵 고슈에서의 생활은 뒤편의 〈부악 백경〉 등에서 볼 수 있다.

목소리를 들었다. 문단을 고마운 곳이라고 생각했다. 평생 그곳에서 살 수 있는 사람은 행복하겠구나 생각했다. 이듬해 1939년 정월에, 나는 그 선배의 도움으로 평범한 중매결혼을 했다.* 아니, 평범하지 않았다. 나는 땡전 한 푼 없이 결혼식을 올린 것이다. 우리는 고후 시 변두리에 방 두 칸짜리 작은 집을 빌려 살았다. 월세는 한 달에 6엔 50전이었다. 나는 창작집을 연이어 두 권 출간했다. 조금 여유가 생겼다. 나는 마음에 걸렸던 빚을 조금씩 정리했지만, 그건 정말 힘든 일이었다. 그해 초가을에 도쿄 변두리의 미타카 마을로 이사했다. 이곳은 도쿄 시는 아니다. 그러니까 나의 도쿄 생활은 오기쿠보의 하숙집에서 가방 하나를 들고 고슈로 떠났을 때, 이미 끝나버린 것이다.

나는 지금은 일개 원고 생활자이다. 여행을 떠나도 숙박부에 거리낌 없이 문필업이라고 쓰고 있다. 괴로움은 있지만, 좀처럼 말하지 않는다. 예전보다 더한 괴로움이 있어도 나는 미소를 꾸며낸다. 바보들은 내가 속된 인간이 되었다고 말한다. 날마다, 무사시노의 석양은 커다랗다. 이글이글 끓어오르며 떨어지고 있다. 나는 석양이 보이는 방에서 책상다리를 하고, 쓸쓸한 식사를 하며 아내에게

* 이부세 마스지의 소개로 여학교 교사였던 이시하라 미치코와 결혼했다.

말했다. "난, 이런 남자니까 출세도 못 하고, 부자도 못 돼. 하지만 이 집 하나만큼은 어떻게든 지켜낼 생각이야." 그때 문득 도쿄 팔경을 떠올린 것이다. 과거가 주마등처럼 마음속을 스쳐갔다.

이곳은 도쿄 시외이긴 하지만, 바로 근처에 있는 이노가시라 공원도 도쿄의 명소 중 하나로 손꼽히니까, 이 무사시노의 석양을 도쿄 팔경 안에 넣는다 해도 문제될 건 없다. 나머지 7경을 결정하려고 나는 내 마음속의 앨범을 펼쳐 보았다. 그런데 여기서 예술이 되는 것은 도쿄의 풍경이 아니었다. 그 풍경 속의 나였다. 예술이 나만큼이나 아름다운 것인가. 내가 예술만큼이나 아름다운 것인가. 결론. 예술은, 나다.

도쓰카의 장미. 혼고의 황혼. 긴다의 제례. 가시와기의 첫눈. 핫초보리의 불꽃놀이. 시바의 보름달. 아마누마의 저녁매미. 긴자의 번개. 이타바시 정신병원의 코스모스. 오기쿠보의 아침 안개. 무사시노의 석양. 추억의 어두운 꽃이 하늘하늘 날아다녀, 정리하기가 힘들었다. 또 억지로 8경으로 맞추려는 것도 친박하다는 생각이 들었다. 그러는 사이에 올해 봄과 여름, 나는 두 개의 풍경을 더 발견하게 되었다.

올해 4월 4일, 나는 고이시가와에 있는 대선배 S씨를 찾아갔다. 5년 전 병이 들었을 때, 나는 S씨에게 꽤 심려를 끼쳤다.* 끝내는 심하게 꾸지람을 듣고 파문 비슷한 처지가 되고 말았는데, 올해 정월 새해 인사를 가서 사죄의 말씀을 드렸다. 그리고 또 한참 소식이 끊어졌다가, 그날은 친한 친구의 책 출판 기념회의 발기인이 되어달라고 부탁하러 찾아간 것이다. 댁에 계셨다. 부탁을 들어주시고, 그림 이야기며, 아쿠타가와 류노스케의 문학에 대한 이야기도 들려주셨다. "내가 자네에게 매정하게 대한 것도 같지만, 지금 생각해보면 오히려 그게 좋은 결과가 된 것 같아서 기쁘다네." 여느 때처럼 묵직한 말투로 그런 말도 들었다. 자동차를 타고 함께 우에노로 나갔다. 미술관에서 서양화 전시회를 보았다. 재미없는 그림이 많았다. 나는 그림 한 장 앞에 멈춰 섰다. 잠시 후 S씨도 옆에 와서 그 그림에 쓱 얼굴을 갖다 대더니,

"시시하군" 하고 무심하게 말했다.

"별로네요." 나도 분명히 말했다.

H가 만난 그 서양화가의 그림이었다.

미술관을 나와 가야바초에서 《아름다운 싸움》이라는

* 약물중독과 가난 등으로 힘들어했던 다자이는 여러 가지 이유로 아쿠타가와 상을 간절히 원해 심사위원이자 스승인 사토 하루오에게 상을 애원하는 장문의 편지를 보냈고, 이 일로 인해 둘의 관계가 소원해졌다.

영화 시사회를 함께 보고, 나중에 긴자로 나가 차를 마시며 하루를 놀았다. 저녁이 되자, S씨는 신바시 역에서 버스로 돌아가겠다고 해서, 나도 역까지 함께 걸었다. 도중에 나는 '도쿄 팔경'에 대한 계획을 S씨에게 들려주었다.

"정말로, 무사시노의 석양은 크군요."

그때 S씨가 신바시 역 앞에 있는 다리 위에 멈춰 서더니,

"그림이 되겠네" 하고 낮은 목소리로 말하면서, 긴자의 다리 쪽을 가리켰다.

"예?" 나도 멈춰 서서, 바라보았다.

"그림이 되겠어." 거듭 혼잣말처럼 말했다.

바라보이는 풍경보다는, 그걸 바라보는 S씨와, 그에게 파문당했던 몹쓸 제자의 모습을, 도쿄 팔경 중의 하나로 넣어야지, 하고 생각했다.

그 후 두 달쯤 지나, 나는 환한 풍경을 하나 더 얻었다. 어느 날, 처제로부터 속달이 왔다.

"드디어 T가 내일 출발하게 됐어요. 시바 공원에서 잠깐 만날 수 있대요. 내일 아침 9시에 시바 공원으로 와주세요. 형부가 T에게 제 마음을 잘 전해주세요. 난 바보 같아서 T에겐 아무 말도 못했어요."

처제는 스물두 살이지만 몸집이 작아서 어린애처럼 보

인다. 작년에 T군과 맞선을 보고 약혼을 했지만, 예물 교환이 끝나자마자 T군은 징집 영장을 받아 도쿄의 어느 연대에 들어갔다. 나도 군복을 입은 T군을 만나 30분쯤 이야기를 나눈 적이 있다. 시원시원하고 품위 있는 청년이었다. 드디어 내일 전쟁터로 출발하게 된 모양이다. 그 속달이 온 지 두 시간도 지나지 않아, 처제에게서 또 속달이 왔다. 거기에는 "가만히 생각해보니까, 조금 전의 부탁은 경박한 것 같다는 느낌이 들었어요. T에게는 아무 말씀 안 하셔도 돼요. 그냥 배웅만 해주세요" 라고 쓰여 있어, 나도 아내도 웃음을 터뜨렸다. 혼자서 이리저리 법석을 떨고 있는 모습이 눈에 선했다. 처제는 이삼일 전부터 T군의 부모님 집에 일을 도와주러 가 있었다.

다음 날 아침, 우리는 일찍 일어나, 시바 공원으로 나갔다. 조조지(増上寺) 절의 경내에는 배웅하러 나온 사람이 많이 모여 있었다. 카키색 유니폼을 입고 바쁘게 인파를 헤치며 돌아다니고 있는 노인을 붙잡고 물어보니, T군의 부대는 절의 정문에 잠깐 들러 5분쯤 쉬었다가, 바로 출발한다고 했다. 우리는 경내에서 나와 정문 앞에 서서 T군의 부대가 도착하기를 기다렸다. 이윽고 처제도 작은 깃발을 들고 T군의 부모님과 함께 왔다. 나는 T군의 부모님과는 초면이다. 아직 정식으로 인척이 된 것도 아니어서,

사교에 서툰 나는 인사도 제대로 하지 못했다. 가볍게 눈인사만 하고는,

"어때, 좀 진정이 됐어?" 하고 처제에게 말을 걸었다.

"아무렇지도 않아요." 처제는 명랑하게 웃어 보였다.

"어째서 이럴까." 아내는 얼굴을 찡그렸다. "그렇게 깔깔 웃어 대고 말야."

T군을 배웅하러 온 사람이 아주 많았다. T군의 이름을 써놓은 큰 장대 깃발이 여섯 개나 정문 앞에 나란히 서 있었다. T군의 집 공장에서 일하는 직공들도 공장을 쉬고 배웅하러 나왔다. 나는 사람들에게서 떨어져, 정문 끝에 서 있었다. 삐딱하게 생각하고 있었던 것이다. T군의 집은 부자다. 나는 이도 빠지고, 옷도 추레하다. 하카마*도 입지 않고, 모자조차 쓰지 않았다. 가난뱅이 작가다. 아들의 약혼자 쪽 집안에서 온 꾀죄죄한 사람일 거라고 T군의 부모는 생각했을 것이다. 처제가 내게 다가와 말을 걸어도, "처제는 오늘 중요한 역할을 해야 하니까 아버님 곁에 붙어 있어" 하고 쫓아 보냈다. T군의 부대는 좀처럼 오지 않았다. 10시, 11시, 12시가 되어도 오지 않았다. 여학교에서 온 수학여행 단체가 관광버스를 타고 몇 팀이나 눈앞

* 주로 정장 차림 때 입는 주름 잡힌 하의.

을 지나간다. 버스 문에는 학교 이름이 적힌 종이가 붙어 있다. 고향의 여학교 이름도 있었다. 큰형의 큰딸도 그 여학교에 들어갔을 것이다. 어쩌면 타고 있을지도 모른다. 도쿄의 명소인 조조지 정문 앞에, 바보 같은 삼촌이 우두커니 서 있는 모습을, 삼촌인 줄도 모르고 무심히 바라보며 지나쳤을지도 모른다는 생각도 했다. 버스가 스무 대쯤, 끊어졌다 이어졌다 하며 정문 앞을 지나가는데, 버스 여차장이 그때마다 나를 가리키며 뭔가 설명을 시작한다. 처음에는 아무렇지 않은 척했지만, 나중에는 나도 포즈를 잡아보기도 했다. 발자크 동상처럼 느긋하게 팔짱을 껴보았다. 그러고 있으니 나 자신이 도쿄의 명소 중 하나가 된 것 같은 기분마저 들었다. 1시가 가까워지자, 왔다, 왔다, 하는 외침이 들렸고, 곧이어 병사를 가득 실은 트럭이 정문 앞에 도착했다. T군은 닷선(Datsun)*을 운전할 수 있었기 때문에 트럭 운전석에 타고 있었다. 나는 사람들 뒤에서, 멍하니 바라보고 있었다.

"형부." 어느새 내 옆에 와 있던 처제가 작은 목소리로 말하며, 내 등을 세게 밀었다. 정신을 차려보니, 운전대에서 내린 T군이 군집 맨 뒤에 서 있는 나를 가장 먼저 발견

---

* 닛산 자동차가 1914년에 만든 승용차 브랜드명.

한 모양인지, 거수경례를 하고 있는 것이다. 그래도 나는 순간 미심쩍어, 주변을 둘러보며 망설였지만, 역시 나에게 경례를 하고 있는 것이 틀림없었다. 나는 결의를 다지고, 군중을 헤치며 처제와 함께 T군 바로 앞에까지 다가갔다.

"뒷일은 걱정 말게. 처제가 이렇게 철이 없지만, 그래도 여자로서 가져야 할 마음가짐은 알고 있네. 조금도 걱정하지 말게. 우리가 다 돌봐줄 테니까." 나는 여느 때와 달리, 조금도 웃지 않고 말했다. 처제의 얼굴을 보니, 고개를 살짝 든 채 긴장하고 있다. T군은 얼굴을 조금 붉히더니, 말없이 또 거수경례를 했다.

"처제는 더 할 말 없어?" 이번에는 나도 웃으며, 처제에게 물었다.

처제는 "아뇨, 없어요" 하고 고개를 숙이며 말했다.

곧바로 출발 명령이 떨어졌다. 나는 또 인파 속으로 슬금슬금 숨었지만, 처제에게 또 등이 떠밀려, 이번에는 운전대 아래까지 나아가게 됐다. 그곳에는 T군의 부모만 서 있었다.

"안심하고 갔다 오게!" 나는 큰 소리로 외쳤다. T군의 부친이 불쑥 돌아서며 내 얼굴을 쳐다보았다. 어지간히 나대네, 이 녀석은 뭐 하는 놈이야, 하는 언짢은 기색이 부친의 눈빛에 얼핏 비쳤다. 하지만 나는 그때만큼은 머뭇거리지 않았다. 인간이 가진 프라이드의 궁극적인 근거는 '이것에도, 또 저것에도, 죽을 만큼 괴로워한 적이 있습니다, 하고 단언할 수 있는 자각이 아닐까. 나는 병종(丙種) 합격*이고, 게다가 가난하지만, 이제는 거리낄 게 없다. 도쿄의 명소인 나는 더 큰 목소리로,

"뒷일은 걱정 말게!" 하고 외쳤다. 앞으로 T군과 처제의 결혼에 만에 하나 어떤 어려움이 생긴다 하더라도, 나는 체면 따위 개의치 않는 무법자다, 반드시 두 사람에게 끝까지 힘이 되어주겠다, 라고 생각했다.

조조지 정문의 풍경을 또 하나 얻었으니, 내 작품의 구상도 이제 활시위가 팽팽히 당겨진 것 같은 기분이 들었다. 그리고 며칠 후, 나는 도쿄 대지도와 펜, 잉크, 원고지를 들고, 기운 차게 이즈로 여행을 떠났다. 이즈의 온천 여관에 도착한 뒤로 어떻게 되었을까. 여행을 떠난 지 벌써 열흘이나 지났건만, 아직도 그 온천 여관**에 있는 모양이다. 뭘 하고 있는 건지.

* 구 일본군 징병 검사의 최하위 합격자.

** 1879년에 창업한 이즈의 여관 후쿠다야. 1940년 다자이가 〈도쿄 팔경〉을 집필한 장소로, 지금도 그때 모습 그대로 보존되어 있다. 여러 문호들이 사랑한 여관으로 특히 가와바타 야스나리의 〈이즈의 무희〉의 배경이기도 하다.

부악 백경*

후지산의 꼭지각은 히로시게**의 후지가 85도이고, 분초***의 후지는 84도 정도이다. 하지만 육군의 실측도에 따라 동서와 남북으로 단면도를 그려보면, 동서 종단으로는 꼭지각이 124도이고, 남북 종단으로는 117도이다. 히로시게와 분초뿐만 아니라, 대개의 그림 속에 그려진 후지산의 꼭지는 예각이다. 꼭대기의 폭이 좁고 호리호리하다. 호쿠사이는 꼭지각이 거의 30도쯤 되는, 에펠탑 같은 후지산을 그렸다. 그러나 실제의 후지는 둔각도 보통 둔

* 부악(富嶽)은 후지산의 별명으로, 가쓰시카 호쿠사이가 그린 후지산의 풍경화 시리즈 《부악 백경》에서 따온 제목이다.

** 우타가와 히로시게. 에도 시대 말기의 우키요에 화가.

*** 다니 분초. 에도 시대 말기의 남화 화가.

각이 아닌 데다 느릿하게 펼쳐져 있고, 동서 124도, 남북 117도에 결코 빼어나게 쭉 뻗은 산은 아니다. 예를 들어, 내가 인도나 어느 다른 나라에서 느닷없이 독수리에 채여 날아가다가 일본의 누마즈 근처 해안에 쿵 하고 떨어지면서 어쩌다 이 산을 본다 해도, 그렇게 경탄하지는 않을 것 같다. 그저 "재팬"의 "후지야마"를 예전부터 동경하고 있었으니까 "원더풀"한 것이지, 그런 통속적인 선전을 전혀 모르는, 소박하고 순수한, 백지 상태의 마음이라면, 과연 얼마만큼 와 닿을까. 그렇게 생각하면, 조금 믿음직스럽지 못한 산이다. 낮다. 산자락이 넓게 펼쳐져 있는 것에 비해 낮다. 저만한 산자락을 가진 산이라면, 적어도 1.5배는 더 높아야 한다.

그래도 짓코쿠 고개 위에서 바라본 후지만큼은 높았다. 그건 좋았다. 구름 때문에 정상이 보이지 않아, 나는 산자락의 경사로 짐작하여, 아마 저기쯤이 정상이겠군, 하며 구름의 어느 한 곳에 점을 찍어두었는데, 잠시 후 구름이 걷히고 보니 아니었다. 내가 미리 점찍어둔 곳보다 곱절이나 높은 곳에 푸른 정상이 싸악 모습을 나타났다. 나는 놀랐다기보다는, 이상하게 멋쩍어서, 껄껄 웃었다. 제법인데, 하고 생각했다. 사람은 완벽히 믿음직스러운 모습을 접하면, 칠칠치 못하게 껄껄 웃게 되나 보다. 온몸의 나사가 사정없이 헐거워져, 이상한 말이긴 하지만, 옷을 훌훌 벗어 던지고 웃는 것 같은 기분이다. 여러분이 만약 애인을 만났는데, 보자마자 애인이 깔깔깔 웃음을 터뜨린다면 경축할 일이다. 절대로 애인의 무례함을 나무라서는 안 된다. 애인은 그대를 만나서, 그대의 완벽히 믿음직스러운 모습을 온몸으로 느끼고 있는 것이다.

도쿄의 아파트 창에서 보는 후지는 괴롭다. 겨울에는 또렷이 잘 보인다. 작고 새하얀 삼각형이 지평선 위로 톡 튀어나와 있는데, 그게 후지다. 별 대단한 것도 없는, 크리스마스 장식용 캔디다. 게다가 왼쪽으로 기울어져 불안한 것이, 선미부터 서서히 침몰해가는 군함을 닮았다. 3년 전 겨울, 나는 어떤 이에게서 뜻밖의 고백을 듣고는, 어찌해야 할지 몰랐다.* 그날 밤, 아파트 방에서 혼자 벌컥벌컥 술을 들이켰다. 한숨도 자지 않고, 술을 마셨다. 새벽녘에 소변을 보려고 서 있는데, 철망이 쳐진 네모난 화장실 창문으로 후지가 보였다. 작고 새하얗고, 왼쪽으로 살짝 기울어진 그 후지를 나는 잊을 수가 없다. 창문 아래 아스팔트 길을 생선 장수의 자전거가 달려가며, 아, 오늘따라 유난히 후지가 선명하게 보이네, 무지하게 춥군, 하고 중얼

* 다자이의 친구가 아내 하쓰요와의 불륜을 고백했을 때의 일을 말한다.

거렸고, 나는 어두운 화장실 안에 서서, 창문의 철망을 만지작거리며 훌쩍훌쩍 울었는데, 그런 기분은 이제 두 번 다시 맛보고 싶지 않다.

1938년 초가을, 마음을 새로이 다지자는 각오로, 나는 가방 하나만 들고 여행을 떠났다.

고슈(甲州). 여기 산들의 특징은 산의 기복이 묘하게 공허하면서 완만한 선을 그린다는 데에 있다. 고지마 우스이라는 사람이 쓴 《일본 산수론(日本山水論)》에도 "이곳 산에는 세상을 등진 사람이 많이 있고, 이 땅에서 신선놀음을 하고 있는 듯하다" 라고 나와 있다. 고슈의 산은 산중에서도 별난 산인지도 모르겠다. 나는 고후 시에서 덜컹대는 버스로 한 시간을 달려, 미사카 고개에 다다른다.

미사카 고개, 해발 1,300미터. 이 고개 정상에 '천하찻집(天下茶屋)'*이라고 하는 작은 찻집이 있는데, 이부세 마스지 씨가 초여름부터 여기 2층에 틀어박혀 일을 하고 있다. 나는 그걸 알고 이곳으로 왔다. 이부세 씨의 작업에 방해가 되지 않는다면, 옆방이라도 빌려서, 나도 당분간 그곳에서 신선놀음을 할 생각이었다.

* 야마나시 현 미사카 고개 정상에 1934년에 창업한 찻집. 스물아홉 살 때 다자이는 이곳에서 석 달을 머물며 작업을 했다. 그때의 2층 방은 복원되어 현재 다자이 기념관으로 보존되어 있다.

이부세 씨는 일을 하고 있었다. 나는 이부세 씨의 허락을 받아 당분간 그 찻집에 머무르게 되었고, 그 후로 날마다 싫어도 후지를 정면으로 마주봐야 했다. 이 고개는 고후에서 도카이도(東海道)로 빠지는 가마쿠라 가도(鎌倉街道)의 요충지이자, 후지산의 북쪽 면을 볼 수 있는 대표적인 전망대라고 한다. 여기서 바라보는 후지는 예로부터 후지 3경 중의 하나로 꼽힌다지만, 나는 그다지 마음에 들지 않았다. 마음에 들지 않을 뿐만 아니라, 경멸하기까지 했다. 너무나 주문에 딱 맞춰 만들어진 후지이다. 한가운데에 후지산이 있고, 그 밑에 가와구치 호수(河口湖)가 하얗고 스산하게 펼쳐져 있고, 근경의 산들이 양끝에서 가만히 웅크린 채 호수를 감싸고 있다. 나는 한번 보고는, 당황스러워 얼굴이 붉어졌다. 이건 꼭, 대중목욕당의 페인트 그림이다. 연극 무대의 배경이다. 정말이지 주문에 딱 맞춰 만들어진 풍경이어서, 나는 너무 민망스러웠다.

내가 그 고개 위 찻집에 온 지 이삼일이 지나자, 이부시 씨의 작업도 일단락되어, 어느 화창한 오후 우리는 미쓰 고개에 올랐다. 미쓰 고개, 해발 1,700미터. 미사카 고개보다 조금 더 높다. 가파른 비탈을 기어가듯 올라, 한 시간 후쯤 미쓰 고개 정상에 다다랐다. 덩굴을 헤치며 좁은 산길을 기어가듯 오르는 내 모습은 결코 보기 좋지는 않았다. 이부세 씨는 등산복을 제대로 갖춰 입어 말끔한 모습이지만, 나는 등산복이 없어, 도테라 차림이었다. 찻집에 있던 도테라가 짤막해서, 내 털북숭이 정강이가 한 자 넘게 드러난 데다가, 찻집 할아버지에게 빌린, 고무 밑창 작업화를 신고 있으니 내가 봐도 추레하다. 조금 고민하다가, 허리띠를 매고 찻집 벽에 걸려 있던 낡은 밀짚모자를 썼더니, 더 이상해졌다. 이부세 씨는 절대 옷차림으로 남을 경멸하는 사람이 아니지만, 이때만큼은 조금 안쓰럽다는 듯한 얼굴로, 그래도 남자는 겉모습 따위에 신경 쓰지 않는 게 좋아, 하고 작은 목소리로 중얼거리며 위로해 준 것을 나는 잊지 못한다. 아무튼 정상에 도착했는데, 갑자기 짙은 안개가 끼는 바람에, 파노라마 전망대라고 불리는 정상의 벼랑 끝에 서서 봐도 앞이 전혀 보이지 않는다. 아무것도 안 보인다. 이부세 씨는 짙은 안개 속에서 바위에 걸터앉아, 느긋하게 담배를 피우며, 방귀를 뀌셨다. 참 따분해 보였다. 전망대에는 찻집이 세 채 나란히 서 있다. 그중에 한 곳, 노부부 둘이서 운영하는 수수한 집을 골라, 거기서 따끈한 차를 마셨다. 찻집 할머니는 안타까워하며, "하필이면 안개 때문에, 조금만 있으면 걷힐 것도 같은데, 후지산이 바로 저기에 또렷이 보이거든요" 하더니 찻집 안쪽에서 커다란 후지산 사진을 가져와, 벼랑 끝에 서서 그 사진을 양손으로 높이 든 채, “바로 이쯤에, 이 사진대로, 이렇게 크게, 이렇게 또렷이, 이렇게 보인다니까요” 하고 열심히 설명한다. 우리는 차를 홀짝이며 그 후지를 바라보며 웃었다. 멋진 후지를 보았다. 안개가 짙은 것이 유감스럽지도 않았다.

그러고 이틀 후였을까, 이부세 씨가 미사카 고개를 떠나게 되어, 나도 고후까지 함께 내려갔다. 고후에서 나는 어떤 아가씨와 맞선을 보기로 되어 있었다. 이부세 씨를 따라 고후 변두리에 있는 그 아가씨네 집으로 찾아갔다. 이부세 씨는 대충 차려입은 등산복 차림이다. 나는 가쿠오비*를 매고 여름 하오리**를 입었다. 아가씨네 집 뜰에는 장미가 한가득 심겨 있었다. 맞이해준 어머님을 따라 객실로 가서 인사를 나누고, 그사이에 아가씨도 들어왔지만, 나는 아가씨의 얼굴을 보지 않았다. 이부세 씨와 어머님이 어른들끼리 하는 세상살이 이야기를 하는데, 이부세 씨가 갑자기,

“어, 후지다” 하고 중얼거리며, 내 뒤쪽의 중인방 위를 쳐다보았다. 나도 몸을 돌려 뒤쪽의 중인방 위를 보았다. 후지산 정상 분화구의 조감사진이 액자에 걸려 있었다.

---

* 격식 차린 옷차림에 매는 폭이 넓은 허리띠.

** 기모노 위에 걸쳐 입는 길이가 짧은 겉옷.

새하얀 수련 꽃을 닮았다. 나는 그걸 바라보다가 다시 천천히 몸을 돌리면서, 아가씨를 살짝 쳐다보았다. 결심했다. 얼마쯤 어려움이 있더라도, 이 사람과 결혼하고 싶다고 생각했다. 그 후지가, 고마웠다.

이부세 씨는 그날 도쿄로 올라가고, 나는 다시 미사카 고개로 돌아갔다. 그리고 9월, 10월, 11월 15일까지 미사카의 찻집 2층에서 조금씩, 조금씩 일을 하면서, 그다지 마음에 들지 않는 이 '후지 3경 중 하나'와 녹초가 될 정도로 이야기를 나누었다.

한 번은 크게 웃은 적이 있다. 대학 강사인지 뭔지를 하는 낭만파 친구 하나가 하이킹 도중에 내가 묵고 있는 곳에 들렀는데, 그때 둘이서 2층 복도에 나가 후지를 바라보며,

"너무 속된 산이야. '후지 씨' 뭐, 그런 느낌이지 않아?"

"보는 사람이 다 부끄럽네."

하고 건방진 말을 하며 담배를 피우는데, 친구가 갑자기,

"이봐, 저기 스님 같은 사람은 뭐지?" 하고 턱으로 가리켰다.

먹색의 찢어진 옷을 걸치고 긴 지팡이를 끌면서, 후지를 바라보며 고개를 올라오는 쉰 살가량의 작은 남자가

있다.

"후지를 바라보는 사이교(西行)*, 뭐 그런 건가. 모습이 범상치 않군." 나는 그 스님에게 정이 갔다. "어디 이름난 승려일지도 몰라."

"바보 같은 소리. 그냥 거지야." 친구는 냉담했다.

"아냐, 아냐, 탈속한 데가 있어. 걸음걸이 같은 게 범상치 않아. 옛날에 노인(能因) 법사**가 이 고개에서 후지를 칭송한 노래를 지었다는데,"

내가 말을 하고 있는데, 친구가 웃음을 터뜨렸다.

"저것 봐, 범상치 않기는 무슨."

노인 법사는 찻집의 하치라는 개가 짖자 허둥지둥 당황하며 쩔쩔맸다. 그 꼴이 정나미가 떨어질 만큼 볼품없었다.

"아니군, 역시." 나는 실망했다.

거지는 당황하여 한심스러울 만큼 우왕좌왕하다가, 끝내는 지팡이를 내팽개치고 허둥지둥, 갈팡질팡, 더는 안

* 사이교는 헤이안 시대의 승려이자 시인이다. 처자식을 두고 출가해 전국을 방랑했는데, 후지를 바라보며 지은 시가 유명하다. (바람에 나부끼는 / 후지의 연기 / 하늘로 사라져가네 / 갈 곳 모르는 / 내 마음이려나) 그 후 여러 화가들이 이것을 소재로 그림을 그렸고, 그 그림을 '후지를 바라보는 사이교'라고 한다.

** 헤이안 시대의 승려이자 시인.

되겠는지 줄행랑을 쳤다. 정말로, 그건 범상치 않은 게 아니었다. 후지가 속되니, 법사도 속되다, 그렇게 된 셈인데, 지금 생각해도 우습다.

닛타라고 하는 스물다섯 살의 온후한 청년이 고개 아래 기슭의 요시다라는 길쭉하게 생긴 마을의 우체국에서 일하고 있는데, 그 사람이 우편물을 보고 내가 이곳에 와 있다는 걸 알았다며 고개 위 찻집으로 찾아왔다. 2층 내 방에서 한참 이야기하다가, 그제야 편해졌는지, 닛타가 웃으며 말했다. 사실은 친구 두세 명이 더 있어 같이 오려고 했는데, 막상 가려니까 다들 꽁무니를 빼는 거예요, 다자이 씨는 굉장한 데카당에다가 성격파탄자라고, 사토 하루오 선생의 소설에 나와 있기도 했고, 설마 이렇게 성실하고 진지한 분이라고는 생각지도 못했기에, 저도 억지로 데려올 수는 없었습니다. 다음번엔 다 같이 오겠습니다. 괜찮겠습니까.

"그야 괜찮지만." 나는 씁쓸하게 웃었다. "그럼, 닛타 씨는 죽을 용기를 짜내 친구들을 대표해서 날 정찰하러 온 셈이군요."

"결사대였죠." 닛타는 솔직했다. "어젯밤에도 사토 선생의 그 소설을 다시 한번 읽어보면서 이런저런 각오를 다지며 왔습니다."

나는 방의 유리문 너머로 후지를 보고 있었다. 후지는 무뚝뚝하게 말없이 서 있었다. 훌륭하군, 하고 생각했다.

"좋네. 역시 후지는 좋은 데가 있어. 꽤 제법이군."

후지에게는 당할 수가 없다고 생각했다. 시시각각 변하는 나 자신의 애증이 부끄러워, 후지는 역시 훌륭하군, 하고 생각했다. 제법이군, 하고 생각했다.

"제법인 건가요?" 닛타는 내 말이 우스웠던지 총명하게 웃었다.

닛타는 그 후로 여러 청년들을 데리고 왔다. 다들 조용한 사람이다. 전부 나를 선생님이라고 불렀다. 나는 진지하게 그걸 받아들였다. 내게는 자랑할 만한 게 아무것도 없다. 학문도 없다. 재능도 없다. 육체는 더러워지고, 마음은 가난하다. 하지만 고뇌만큼은, 이 청년들에게 선생님이라고 불리면, 그냥 그것을 순순히 받아들여도 좋을 만큼의 고뇌는 겪어왔다. 단지 그것뿐이다. 지푸라기 한 올의 자부심이다. 하지만 나는 이 자부심만큼은 확실히 갖고 싶다고 생각한다. 버릇없는 떼쟁이라는 말을 들어온 나의 숨겨진 고뇌를 대체 몇 명이나 알고 있을까. 닛타와 단카를 잘 짓는 다나베라고 하는 청년은 이부세 씨의 독자였는데, 그게 마음이 놓이기도 해서 나는 이 두 사람과 가장 사이가 좋아졌다. 한 번은 그들을 따라서 요시다에 가

보았다. 굉장히 길쭉한 마을이었다. 산기슭의 느낌이 났다. 해도 바람도 후지산에 가로막혀, 흐느적흐느적 뻗은 줄기처럼 어둡고 으스스한 느낌의 마을이었다. 도로를 따라 맑은 물이 흐르고 있다. 이건 산기슭 마을의 특징인 듯한데, 미시마에도 이런 식으로 온 마을에 맑은 물이 찰랑찰랑 흐르고 있다. 후지산의 눈이 녹아서 흘러오는 거라고 그 지방 사람들은 진지하게 믿고 있다. 요시다의 물은 미시마에 비하면, 수량도 부족하고 탁하다. 물을 바라보면서 나는 말했다.

"모파상 소설에, 어떤 아가씨가 귀공자를 만나러 밤마다 강을 헤엄쳐서 갔다고 쓰여 있었는데, 그럼 옷은 어떻게 했을까? 설마 알몸은 아니었겠지?"

"그러네요." 청년들도 곰곰이 생각했다. "수영복 아닐까요?"

"옷을 머리 위에 올려 묶어놓고, 헤엄쳐 간 걸까?"

청년들은 웃었다.

"그게 아니면 옷을 입은 채 들어가 흠뻑 젖은 꼴로 귀공자를 만나고, 나중에 둘이서 스토브로 말린 걸까? 그렇다면 돌아올 때는 어떻게 하지? 애써 말린 옷을 또 흠뻑 적시고 헤엄쳐야 하잖아. 걱정이네. 귀공자가 헤엄쳐서 오면 될 텐데. 남자라면 잠방이 하나 입고 헤엄쳐도 그렇게 꼴사납진 않을 테니까. 그 귀공자, 맥주병이었나?"

"아뇨, 아가씨 쪽이 더 많이 좋아해서 그랬을 거예요."

닛타는 진지했다.

"그럴지도 모르지. 외국 이야기 속의 아가씨는 용감하고 귀여워. 좋아하면 강을 헤엄쳐서라도 만나러 가니까. 일본에선 그렇게는 안 하지. 그런 연극 있지 않았나? 한가운데 강이 흐르고, 양쪽 강가에서 남자와 아씨가 슬퍼하는 연극 말야. 그럴 때, 아씨는 전혀 슬퍼할 필요 없어. 헤엄쳐 가면 어때서? 연극에서 보면, 아주 얕은 강이야. 철벙철벙 건너가면 뭐가 어때서? 그렇게 슬퍼하는 거, 의미 없어. 동정도 안 가. 아사가오의 일기에 나오는 오이카와 강은 강이 크기도 하고 아사가오가 앞을 못 보니까 조금 동정이 가긴 하지만*, 그렇다고 해두 헤엄쳐서 못 갈 것도 없지. 강 말뚝에 매달려서 해님을 원망해봤자 의미 없다고. 아, 한 사람 있구나. 일본에도 용감한 여자가 하나 있지. 그 사람은 대단해. 알고 있어?"

"그런 사람이 있나요?" 청년들도 눈을 반짝였다.

"기요히메. 안친을 쫓아서 히다카 강을 헤엄쳤지. 마구마구 헤엄쳤어. 그 여자는 무시무시해. 책에 나오기로는

* 전통 인형극 《세이샤 아사가오 이야기》 중 한 편으로, 앞을 못 보는 아사가오가 연인을 찾아 헤매다 오이카와 강 앞에서 눈을 뜬다는 내용이다.

기요히메가 그때 열네 살이었다는군."*

길을 걸으며, 바보 같은 이야기를 하다가, 마을 변두리의, 다나베가 아는 집인 듯한 조용하고 오래된 여관에 도착했다.

거기서 술을 마셨는데, 그날 밤의 후지가 좋았다. 밤 10시쯤, 청년들은 나 혼자만 여관에 남겨두고 각자 집으로 돌아갔다. 나는 자지 않고, 도테라 차림으로 밖으로 나가 보았다. 무섭도록, 밝은 달밤이었다. 후지가, 좋았다. 달빛을 받아 파랗게 비쳐 보이는 것 같아, 나는 여우에 홀린 듯한 기분이 들었다. 후지가 싱그럽게 푸르다. 인(燐)이 타고 있는 듯한 느낌이었다. 도깨비불. 여우불. 반딧불. 억새풀. 칡 잎. 나는 발이 없는 듯한 기분으로 밤길을 쭉 걸었다. 나막신 소리만이 내 것이 아닌 것처럼, 다른 생물처럼 딸각딸각 무척이나 맑게 울린다. 살짝 뒤돌아보니, 후지가 있다. 파랗게 타오르며 하늘에 떠 있다. 나는 한숨을 쉰다. 메이지유신의 지사(志士). 구라마 덴구**. 나는 내가 그 사람이라고 생각했다. 조금 거들먹거리며 품 안에 손을

---

* 안친과 기요히메의 전설. 승려인 안친을 흠모한 기요히메가 자신을 속인 안친에게 복수하기 위해 뱀으로 변신해 히다카 강을 건너가 안친을 불태워 죽였다는 전설이다.

** 오사라기 지로가 막부 말기 메이지유신 때를 배경으로 쓴 시대물 소설 시리즈의 주인공.

넣은 채 걸었다. 내가 제법 괜찮은 남자 같다는 생각이 들었다. 꽤 걸었다. 지갑을 떨어뜨렸다. 50전짜리 은화가 20개쯤 들어 있었는데, 너무 묵직해 품속에서 스르륵 흘러 떨어졌나 보다. 나는 이상하게도 아무렇지 않았다. 돈이 없으면 미사카까지 걸어가면 된다. 그대로 걸었다. 문득, 지금 걸어온 길을 그대로 다시 걸어가면 지갑이 있을 거라는 생각이 들었다. 손을 품속에 집어넣은 채, 어슬렁어슬렁 되돌아갔다. 후지. 달밤. 메이지유신의 지사. 지갑을 떨어뜨렸다. 정취 있는 로맨스라고 생각했다. 지갑은 길 한가운데서 반짝이고 있었다. 있는 게 당연하다. 나는 그걸 주워서, 여관으로 돌아가 잠이 들었다.

후지에게 홀린 것이다. 나는 그날 밤, 바보였다. 완전히, 무의지였다. 그날 밤의 일을 지금 떠올려봐도, 묘하게 나른하다.

요시다에서 하룻밤을 묵고, 다음날, 미사카로 돌아가니, 찻집 여주인이 빙글빙글 웃고 있고, 열다섯 살 된 아가씨는 뾰로통해 있었다. 나는 불결한 짓을 하고 온 게 아니라는 것을, 넌지시 알려주고 싶어, 어제 하루의 행동을 묻지도 않았는데 혼자서 시시콜콜 이야기했다. 내가 묵은 여관의 이름, 요시다의 술맛, 달밤의 후지, 지갑을 떨어뜨린 일, 전부 다 말했다. 아가씨도 기분이 풀어졌다.

"손님! 일어나서 봐요!"

어느 날 아침, 새된 목소리로 찻집 밖에서 아가씨가 소리를 치기에, 나는 미적미적 일어나 복도로 나가보았다.

아가씨는 흥분하여 뺨이 새빨개져 있었다. 말없이 하늘을 가리켰다. 보니까, 눈이다. 아, 하고 생각했다. 후지에 눈이 내린 것이다. 산꼭대기가 새하얗게 반짝이고 있었다. 미사카의 후지도 무시 못 하겠네, 하고 생각했다.

"좋네."

하고 칭찬하니, 아가씨가 으쓱하며,

"멋지죠?" 하면서 "미사카의 후지가 이래도 별로예요?" 하고 쪼그리고 앉아서 말했다. 내가 전부터, 이런 후지는 속돼서 안 돼, 라고 해서 그런지 아가씨가 내심 풀이 죽어 있었는지도 모른다.

"역시 후지는 눈이 내리지 않으면 안 되는군." 당연하다는 얼굴로 나는 그렇게 바꿔 말했다.

나는 도테라를 입고 산을 걸어 다니다가, 달맞이꽃 씨를 두 손 가득 주워 와, 찻집 뒷문 앞에 뿌리며 말했다.

"알겠지? 이건 내 달맞이꽃이야. 내년에 다시 와서 볼 거니까, 여기다 빨래하고 남은 물 같은 거 버리면 안 돼." 아가씨는 고개를 끄덕였다.

굳이 달맞이꽃을 고른 이유는, 후지에는 달맞이꽃이 잘

어울린다고 생각했기 때문이다. 미사카 고개의 그 찻집은 산속에 달랑 한 채뿐인 집이라, 우편물이 배달되지 않는다. 고갯마루에서 덜컹대는 버스로 30분쯤 가면, 산기슭, 가와구치 호숫가의 가와구치 마을이라고 하는, 말 그대로의 한촌에 다다르는데, 그 가와구치 마을의 우체국에 내 앞으로 온 우편물이 보관되어 있어, 나는 사흘에 한 번꼴로 그 우편물을 받으러 가야 한다. 날씨가 좋은 날을 골라서 간다. 여기 버스 여차장은 유람객을 위해 특별히 풍경을 설명해주지는 않는다. 그래도 가끔은 생각이 났다는 듯, 무척이나 산문적인 어투로, 저것이 미쓰 고개, 맞은편이 가와구치 호수, 빙어라는 물고기가 있습니다, 하며 내키지 않는다는 듯 중얼중얼 설명을 들려줄 때도 있다.

가와구치 우체국에서 우편물을 받아들고, 또 덜컹대는 버스를 타고 고개 위 찻집으로 돌아가는 길에, 내 바로 옆에는, 진갈색 겉옷을 입은 창백하고 단정한 얼굴의, 내 어머니를 많이 닮은 예순 살쯤 되는 할머니가 꼿꼿이 앉아 있는데, 차장이 갑자기 생각났다는 듯 "여러분, 오늘은 후지가 잘 보이네요" 하고 설명도 감탄도 아닌 말을 불쑥 꺼낸다. 그러자 배낭을 멘 젊은 샐러리맨과, 일본식으로 머리를 크게 올려 묶고 손수건으로 입가를 곱게 가린 게이샤 풍의 여자 등 승객들이 몸을 틀면서 일제히 차창 밖으로 머리를 내밀고는, 새삼스레 특별할 것도 없는 그 삼각형의 산을 바라보며, 이야, 우와, 하며 얼빠진 탄성을 지르는 바람에, 차 안은 한바탕 시끌벅적해졌다. 하지만 내 옆의 할머니는 가슴에 깊은 근심이라도 있는지, 다른 유람객들과 달리, 후지에는 눈길 한 번 주지 않고, 오히려 후지 반대쪽의, 산길을 따라 나 있는 벼랑을 가만히 바라보는데, 내게는 그 모습이 온몸이 저릿할 만큼 상쾌하게 느껴져, 나도 후지 따위, 저런 속된 산은 보고 싶지도 않다는 고상한 허무의 심정을 할머니에게 보여주고 싶었다. 할머니의 괴로움과 쓸쓸함을 잘 알고 있습니다, 라는 공감의 기색을, 딱히 부탁받지도 않았지만, 보여주고 싶었다. 그래서 나는 할머니에게 응석을 부리듯 살며시 다가가, 할머니와 똑같은 자세로 멍하니 벼랑 쪽을 바라보았다.

할머니도 왠지 나에게 마음이 놓였나 보다. 멍하니 한마디.

"어머나, 달맞이꽃이네."

그러면서 가느다란 손가락으로 길가의 한곳을 가리켰다. 휘익, 버스는 지나가고, 내 눈에는 방금, 얼핏 눈에 스쳐간 샛노란 달맞이꽃 하나, 꽃잎도 선명히 사라지지 않고 남았다.

3,778미터의 후지산과 당당히 맞서서, 조금도 흔들림

없이, 뭐랄까, '금강역사(金剛力士) 풀'이라고도 부르고 싶을 만큼 씩씩하게 우뚝 서 있던 그 달맞이꽃이, 좋았다. 후지에는, 달맞이꽃이 잘 어울린다.*

10월 중순이 지나도 내 일은 지지부진하다. 사람이 그립다. 붉은 석양과 새털구름, 2층 복도에서 혼자 담배를 피우며 일부러 후지에는 눈길도 주지 않고, 그야말로 피가 뚝뚝 떨어지는 듯한 새빨간 산의 단풍을 응시하고 있었다. 찻집 앞의 낙엽을 쓸어 모으고 있는 주인아주머니에게 말을 걸었다.

"아주머니! 내일은 날씨가 좋겠죠?"

나 자신도 깜짝 놀랄 만큼 소리가 커서 고함치는 것 같은 목소리였다. 아주머니는 빗자루를 든 손을 멈추고, 고개를 들어 미심쩍다는 듯이 눈썹을 모으더니,

"내일 뭐 하시나요?"

그렇게 물으니, 나는 할 말이 궁해졌다.

"아무 일도 없어요."

아주머니는 웃음을 터뜨렸다.

"외롭죠? 산에라도 올라가보는 게 어때요?"

"산은 올라가도 곧장 다시 내려와야 하니까 재미없어

* 다자이 사후, 1953년에 미사카 고개에 세워진 다자이 오사무 문학비에 "후지에는, 달맞이꽃이 잘 어울린다"라는 문구가 새겨졌다.

요. 어느 산을 올라도 똑같은 후지산만 보이니까, 그런 생각을 하면 마음이 무거워져요."

내 말이 이상했던 모양이다. 아주머니는 그저 애매하게 고개를 끄덕였을 뿐, 또다시 낙엽을 쓸었다.

잠들기 전, 방의 커튼을 살짝 걷어 유리창 너머로 후지를 본다. 달이 있는 밤은 후지가 창백하게 물의 정령 같은 모습으로 서 있다. 나는 한숨을 쉰다. 아아, 후지가 보인다. 별이 크다. 내일은 맑겠구나, 하고 그것만이 미미하게 살아 있는 기쁨이기에, 다시 살며시 커튼을 치고 그대로 잠이 들지만, 내일 날이 맑다고 해서 딱히 이 몸에 별다른 것도 없는데, 하고 생각하니 웃겨서, 혼자 이불 속에서 씁쓸히 웃는다. 괴로운 것이다. 일이, ── 순수하게 글을 쓰는 것의 괴로움보다, 아니, 글을 쓰는 건 오히려 내 즐거움이기도 하지만, 그게 아니라, 나의 세계관, 예술이라는 것, 내일의 문학이라는 것, 말하자면 새로움이라는 것, 나는 그것들에 대해 아직도 우물쭈물 고민하고, 과장이 아니라, 몸부림치고 있었다.

소박한 자연의 것, 그래서 간결하고 선명한 것을 휙 하고 단번에 붙잡아 그대로 종이에 옮기는 것, 그것 말고 다른 방법은 없다. 그렇게 생각하면, 눈앞에 있는 후지의 모습도 다른 의미를 지니며 눈에 비친다. 바로 저 모습, 저

표현이, 결국 내가 생각하는 '단일 표현'의 아름다움일지도 모른다며, 조금은 후지와 타협해본다. 하지만 역시 저 후지의 멀대같은 소박함에는 질리는 데도 있고, 저게 좋은 거라면, 포대 스님* 인형도 좋은 것이어야지, 하지만 포대 스님 인형은 도저히 참을 수가 없어, 그런 건 결코 좋은 표현이라고 할 수 없어, 그러니까 저 후지의 모습도 역시 어딘가 잘못된 거야, 하고 또다시 갈피를 잡지 못한다.

아침저녁으로 후지를 보면서, 음울한 날을 보내고 있었다. 10월 말, 산기슭의 요시다 마을에서 한 무리의 유녀** 들이, 아마도 1년에 한 번쯤 자유롭게 보내는 날인 듯, 자동차 다섯 대에 나눠 타고 미사카 고개로 찾아왔다. 나는 2층에서 그 모습을 보고 있었다. 자동차에서 내린 색색의 유녀들은 마치 바구니에서 쏟아져 나온 한 무리의 전령 비둘기처럼, 처음에는 어디로 걸어가는지도 모르는 채, 모여서 우왕좌왕하며, 말없이 떼 지어 이리 밀리고 저리 밀리다가, 드디어 슬슬 그 묘한 긴장감이 풀리면서 저마다 어슬렁어슬렁 걷기 시작했다. 찻집 앞에 진열된 그림엽서를 얌전히 고르는 사람, 멈춰 서서 후지를 보는 사람, 어둡

* 중국 당나라 말기의 선승. 뚱뚱하고 배가 올챙이처럼 튀어나왔는데 지팡이를 들고 큰 포대를 둘러메고 돌아다녔다.

** 몸을 파는 직업의 여성.

고, 쓸쓸해, 보고 있을 수 없는 풍경이었다. 2층에 있는 한 남자의, 목숨도 아까워하지 않을 공감도, 그 유녀들의 행복에는 아무런 보탬이 되지 못한다. 나는 그저 보고 있어야만 하는 것이다. 괴로운 사람은 괴로워하라. 추락할 사람은 추락하라. 나와는 아무 상관도 없다. 그것이 세상이다. 그렇게 억지로 차가운 척하며 그들을 내려다보았지만, 나는 정말 괴로웠다.

후지에게 부탁하자. 갑자기 그런 생각이 들었다. 이봐, 이 사람들, 잘 부탁할게, 그런 마음으로 고개를 들어보니, 추운 하늘 속에 말없이 우뚝 선 후지산, 그때의 후지는 마치 도테라를 입고 팔짱을 낀 채 거만하게 굴고 있는 두목처럼 보이기까지 했지만, 그렇게 후지에게 부탁하고 나니 나는 마음이 놓여 홀가분한 심정으로 찻집의 여섯 살 난 남자아이와 하치라는 개를 데리고, 그 유녀 무리를 저버린 채, 고개 근처의 터널 쪽으로 놀러 갔다. 터널 입구에서 서른 살쯤의 야윈 유녀가 혼자서 뭔지 모를 시시한 풀꽃을 말없이 뜯어 모으고 있었다. 우리가 옆을 지나가도, 돌아보지도 않고 열심히 풀꽃을 뜯고 있다. 이 여자도, 같이 잘 부탁드립니다, 하고 고개를 들어 또 후지에게 기도하고, 나는 아이 손을 끌고 훌쩍 터널 안으로 들어갔다. 터널의 차가운 물을 뺨에, 목덜미에, 똑똑 받으며, 내가 알

바 아니야, 하고 일부러 성큼성큼 걸어갔다.

그 무렵, 내 혼담은 도중에 엎어진 꼴이 되었다. 고향에서는 전혀 도움을 받지 못한다는 것이 분명해져 나는 난처해졌다. 하다못해 백 엔쯤은 도움받을 수 있을 거라고 뻔뻔하게 넘겨짚어, 그걸로 조촐하게나마 엄숙한 결혼식을 올리고, 나중에 살림을 꾸리는 비용은 내가 일해서 벌겠다고 생각했다. 하지만 두세 통의 편지가 오가면서, 생가에서는 아예 도움을 받을 수 없다는 것이 분명해져, 나는 어찌해야 할지 몰랐다. 이렇게 되면 혼담을 거절당해도 어쩔 수가 없다고 각오하고, 어쨌든 그쪽 집에 이런 사정을 숨김없이 다 말하자, 하고 나는 혼자서 고개를 내려가 고후의 아가씨 집으로 찾아갔다. 다행히 아가씨도 집에 있었다. 나는 객실로 인내받아, 아가씨와 어머님 두 사람 앞에서 사정을 빠짐없이 털어놓았다. 때때로 연설조의 말투가 되어 애를 먹었다. 하지만 비교적 솔직하게 다 말한 것 같았다. 아가씨는 차분히,

"그러니까, 집안에서는 반대하신다는 겁니까?" 하고 고개를 갸웃하며 내게 물었다.

"아닙니다. 반대하는 게 아니라," 나는 오른손바닥을 살짝 탁자 위에 갖다 대며, "너 혼자 알아서 해라, 라는 뜻이라고 생각됩니다."

"괜찮아요." 어머님은 품위 있게 웃으며, "우리도 보다시피 돈이 많은 것도 아니고, 격식 차린 식 같은 건 오히려 부담스러우니, 그저 본인 한 사람의 애정과 직업에 대한 열의만 있다면, 그걸로 우리는 괜찮습니다."

나는 인사하는 것도 잊고 잠시 멍하니 뜰을 바라보았다. 눈시울이 뜨거워지는 게 느껴졌다. 이 어머니에게 효도하겠다고 생각했다.

돌아가는 길에 아가씨가 버스 정류장까지 바래다주었다. 나는 걸으면서,

"어떻습니까? 조금 더 교제해보겠습니까?"

거들먹거리는 말을 했다.

"아뇨, 충분히 했어요." 아가씨는 웃고 있었다.

"뭐, 질문은 없습니까?" 정말 바보다.

"있어요."

나는 뭘 물어보든, 있는 그대로 대답하겠다고 생각했다.

"후지산에는 벌써 눈이 내렸나요?"

나는 그 질문에 김이 빠져버렸다.

"내렸습니다. 산꼭대기에……" 하며 문득 앞을 보는데, 후지가 보인다. 이상한 기분이 들었다.

"뭐야? 고후에서도 저렇게 후지가 보이잖아. 바보 취급을 하고." 불량배 같은 말투가 되었다. "방금 그건 우문입

니다. 바보 취급을 하는군요."

아가씨는 고개를 숙이고 후훗 웃으며,

"그야 미사카 고개에 계시니까, 후지 얘기라도 묻지 않으면 안 될 것 같아서요."

재미있는 아가씨라고 생각했다.

고후에서 돌아오니, 아니나 다를까 숨쉬기가 힘들 만큼 어깨가 굳어 있다는 것을 알았다.

"좋네요, 아주머니. 역시 미사카가 좋아요. 내 집에 돌아온 것 같은 기분마저 드네요."

저녁 식사 후에, 주인아주머니와 아가씨가 번갈아 가며 내 어깨를 두드려준다. 아주머니의 주먹은 단단하고 맵다. 아가씨의 주먹은 부드러워 별로 시원하지 않다. 더 세게, 더 세게, 하고 내가 말하니, 아가씨는 장작을 가져와 그걸로 내 어깨를 탁탁 두드렸다. 그 정도로 두드리지 않으면 어깨 결림이 풀리지 않을 정도로, 나는 고후에서 긴장한 채 온 힘을 다한 것이다.

고후에 갔다 온 뒤로 이삼일 동안 나는 멍하니, 일할 마음도 나지 않아, 책상 앞에 앉아서 두서없이 낙서나 하면서 골든 배트를 일고여덟 갑이나 피우고, 또 드러누워서, 금강석도 갈지 않으면, 라고 하는 노래만 내내 부르고 또 부를 뿐, 소설은 한 장도 쓰지 못했다.

"손님. 고후에 갔다 오시더니 안 좋아지셨네요."

어느 날 아침, 내가 책상에서 턱을 괸 채 눈을 감고 이런저런 생각을 하고 있는데, 등 뒤에서 방을 닦으며 열다섯 살 아가씨가 정말로 화가 난 듯, 살짝 가시 돋친 말투로 그렇게 말했다. 나는 뒤돌아보지도 않고,

"그런가? 안 좋아졌나?"

아가씨는 방을 닦던 손을 멈추고,

"예, 안 좋아졌어요. 요 이삼일, 작업을 아예 안 하잖아요. 저는 매일 아침, 손님이 이것저것 써놓은 원고지를 순서대로 정리하는 게 정말 즐거워요. 많이 써놓으면 기분이 좋아요. 어젯밤에도 제가 2층에 살짝 보러 왔던 거 아세요? 손님이 이불을 뒤집어쓰고 자고 계시더라고요."

나는 고마웠다. 과장해서 말하면, 이것은 인간이 꿋꿋이 살아가려는 노력에 대한 순수한 응원이다. 아무런 보답도 생각하지 않는다. 나는 아가씨가 아름답다고 생각했다.

10월 말이 되어 산의 단풍이 거무튀튀해지자마자 하룻밤 비바람이 치더니, 순식간에 산은 새까만 겨울나무 숲으로 변해버렸다. 유람객도 지금은 손에 꼽을 정도밖에 없다. 찻집도 한산해져, 이따금 아주머니가 여섯 살 된 사내아이를 데리고, 고개 기슭에 있는 후나쓰나 요시다 마

을에 장을 보러 나가면, 아가씨 혼자 유람객도 없이 하루 종일 나와 단둘이서만 고개 위에서 조용히 보낼 때가 있다. 내가 2층에서 심심해져 밖을 어슬렁어슬렁 걸어 다니다가, 찻집 뒤쪽에서 빨래를 하는 아가씨 곁에 다가가,

"심심하네."

하고 큰 소리로 말하며 불쑥 웃는데, 아가씨가 고개를 숙이기에 그 얼굴을 들여다보고는 깜짝 놀랐다. 울먹울먹하고 있는 것이다. 분명 겁을 먹은 표정이다. 그런가, 하고 씁쓸해진 나는 휙 오른쪽으로 돌아, 낙엽이 잔뜩 깔린 좁은 산길을, 무척 언짢은 기분으로 성큼성큼 마구 걸어 다녔다.

그 후로는 조심했다. 아가씨 혼자만 있을 때는 되도록 2층 방에서 나오지 않으려고 애썼다. 찻집에 손님이라도 왔을 때는 내가 아가씨를 지키겠다는 마음도 있어, 저벅저벅 2층에서 내려와, 찻집 한구석에 앉아 천천히 차를 마신다. 언젠가, 신부 옷차림을 한 손님이 예복 차림의 할아버지 두 명과 함께 자동차를 타고 찾아와, 이 고개 찻집에서 잠깐 쉰 적이 있다. 그때도 찻집에는 아가씨 혼자뿐이었다. 나는 또 2층에서 내려와, 구석의 의자에 앉아 담배를 피웠다. 신부는 무늬가 새겨진 긴 기모노를 입고, 금실로 수놓은 비단 오비를 매고, 하얀 예모를 쓴, 제대로

차려입은 정식 예복 차림이었다. 너무 색다른 손님이어서 아가씨도 어떻게 대접해야 할지 몰라, 신부와 두 노인에게 차만 내어주고, 내 등 뒤에서 가만히 숨은 채 말없이 신부를 보고 있었다. 평생 한 번 있는 경사스러운 날, 고개 저편에서 반대편의 후나쓰나 요시다 마을로 시집을 가는 것일 텐데, 도중에 이 고개 정상에서 잠시 한숨 돌리며 후지를 바라본다는 건, 옆에서 보기에도 간질간질할 정도로 로맨틱하다. 잠시 후 신부는 살그머니 밖으로 나가더니, 찻집 앞의 벼랑 끝에 서서 천천히 후지를 바라보았다. 다리를 엑스자로 꼬고 선 대담한 포즈였다. 여유 있는 사람이군, 하며 나는 신부를, 또 후지와 신부를 감상하고 있는데, 잠시 후 신부가 후지를 향해 크게 하품을 했다.

"어머!"

등 뒤에서 작은 외침이 들렸다. 아가씨도 방금 그 하품을 본 모양이다. 얼마 후, 신부 일행은 기다리고 있던 자동차를 타고 고개를 내려갔지만, 곧이어 그 신부는 뒷담화에 오르게 되었다.

"익숙한가 보네. 그 사람, 틀림없이 두 번째, 아니 세 번째쯤일 거야. 신랑이 고개 밑에서 기다리고 있는데, 차에서 내려 후지산 구경을 하다니, 처음 결혼하는 신부라면 그렇게 뻔뻔할 리가 없지."

"하품을 했다니까요." 아가씨도 힘껏 맞장구를 쳤다. "그렇게 입을 크게 벌리고 하품을 하다니, 낯도 두껍네요. 손님은 그런 신부 얻으면 안 돼요."

나는 나잇값도 못 하고 얼굴을 붉혔다. 내 혼담도 점점 잘 진행되어, 어느 선배가 전부 도맡아서 해주었다. 결혼식도 가족 두세 명만 초대해, 소박하지만 엄숙하게 그 선배네 집에서 올리게 되었다. 나는 사람의 정에 소년처럼 흥분했다.

11월로 들어서자, 이제 더는 미사카의 한기를 견디기 힘들어졌다. 찻집에서는 스토브를 마련했다. "손님, 2층은 춥죠? 일할 때는 스토브 옆에서 하세요" 하고 아주머니가 말했지만, 나는 사람이 보고 있는 데서는 일을 할 수 없기 때문에 그건 거절했다. 아주머니는 걱정이 돼서 산기슭의 요시다 마을에 가서 고타쓰를 하나 사 왔다. 나는 2층 방에서 고타쓰 안에 들어앉아, 이 찻집 사람들의 친절에 진심으로 감사의 인사를 해야지 생각했지만, 이제 전체의 3분의 2쯤 눈으로 뒤덮인 후지를 보고, 또 근처 산들의 쓸쓸한 겨울나무를 접하고 나서는, 더 이상 이 고개에서 살을 에는 추위를 참고 지내는 것도 무의미하다는 생각이 들어, 산을 내려가기로 결심했다. 산을 내려가기 전날, 나는 도테라를 두 개나 껴입고 찻집 의자에 앉아 뜨거운 엽차를 홀짝이고 있는데, 겨울 코트를 입은, 타이피스트 같아 보이는, 젊고 지적인 아가씨 둘이 터널 쪽에서 깔깔 웃으며 걸어왔다. 그러다 문득 눈앞의 새하얀 후지를 보고는 감동한 듯 멈춰 서서 소곤소곤 의논하더니, 그중에 안경을 쓴, 살결이 하얀 여자가 생글생글 웃으며 내게 다가왔다.

"죄송한데요, 셔터 좀 눌러주시겠어요?"

나는 당황했다. 나는 기계에 대해서는 그다지 밝지 않고, 사진 취미도 전혀 없는 데다, 도테라를 두 개나 껴입고 있어 찻집 사람들조차 산적 같다며 웃어댄 너절한 차림이어서, 도쿄에서 온 듯한 화려한 아가씨에게 그런 세련된 일을 부탁받고는 내심 무척이나 당황한 것이다. 하지만 또 달리 생각해보면, 이런 꼴을 하고 있어도, 역시 안목이 있는 사람이 보면 어딘지 섬세한 데도 있어 카메라 셔터쯤은 솜씨 좋게 눌러줄 수 있을 만한 남자로 보일지도 모른다는, 조금은 그런 들뜬 기분도 더해져, 나는 평정을 가장한 채 아가씨가 건네는 카메라를 받아들고는, 별것 아니라는 듯한 말투로 셔터 누르는 법을 잠깐 물어보고 나서, 부들부들 떨며 렌즈를 들여다보았다. 한가운데에 커다란 후지산, 그 아래 작은 양귀비꽃 두 송이. 두 사람 모두 빨간 코트를 입고 있다. 둘은 꼭 껴안듯이 바싹 붙어,

어지간히 진지한 표정을 하고 있었다. 나는 웃겨서 참을 수가 없다. 카메라를 든 손이 흔들려, 어쩔 줄을 모른다. 웃음을 참으며, 렌즈를 들여다보니, 양귀비꽃은 더더욱 새침을 떨며 굳어 있다. 도저히 초점을 맞추기가 힘들어, 나는 둘의 모습을 렌즈 밖으로 쫓아내고 그냥 후지만 렌즈에 한가득 담고는, 후지산, 잘 있어요, 신세 많이 졌습니다. 찰칵.

"예, 찍었습니다."

"고마워요."

둘은 한목소리로 감사의 인사를 한다. 집에 돌아가 현상해보면 깜짝 놀라겠지. 후지산만 커다랗게 찍혀 있고, 둘의 모습은 어디에도 보이지 않을 테니까.

그 이튿날, 산을 내려왔다. 우선, 고후의 싸구려 여관에서 하룻밤 묵고, 다음 날 아침, 여관 복도의 지저분한 난간에 기대어 후지를 바라보니, 고후의 후지가 겹겹의 산들 뒤에서 3분의 1쯤 얼굴을 내밀고 있다. 꽈리를 닮았다.

I Can Speak

괴로움은 인종(忍從)의 밤, 체념의 아침. 이 세상은 체념의 노력인가, 쓸쓸함의 인내인가. 그리하여 젊음은 세월에 벌레 먹히고, 행복도 더러운 거리에서 찾는 것이다.

나의 노래, 목소리를 잃고, 한동안 도쿄에서 무위도식하며, 노래가 아니라 이를테면 '생활의 중얼거림' 같은 것을 나직이 쓰기 시작했고, 내 문학이 나아가야 할 길이 조금씩 내 작품을 통해 알려지면서, 뭐, 이 정도면 될까? 하고 조금은 자신감 비슷한 걸 갖게 되어, 전부터 마음먹고 있던 장편소설에 덤벼들었다.

작년 9월, 고슈의 미사카 고개 정상에 있는 '천하찻집'이라는 찻집의 2층을 빌려, 거기서 조금씩 작업을 해나갔는데, 그럭저럭 백 장 가까이 되어, 다시 읽어보니 그렇게 나쁘지는 않다. 새롭게 힘을 얻어, 어쨌든 이걸 완성하기 전에는 도쿄로 돌아가지 않겠다, 하고 미사카의 초겨울 찬바람이 세차게 불던 날, 혼자서 제멋대로 약속했다.

바보 같은 약속을 한 것이다. 9월, 10월, 11월, 미사카의 추위를 견디기 힘들어졌다. 그 무렵은 불안한 밤이 계속되었다. 어떡하지, 하고 꽤 망설였다. 내 멋대로 나 자신과 약속하고는, 이제 와서 그걸 어길 수도 없고, 도쿄로 날아가고 싶지만 왠지 그건 파계 같은 느낌이 들어, 고개 위에서 어찌해야 할지를 몰랐다. 고후로 내려가자고 생각했다. 고후라면 도쿄보다 따뜻하니, 올겨울도 걱정 없이 보낼 수 있을 거라고 생각했다.

고후로 내려갔다. 살았다. 이상한 기침이 더 이상 나오지 않았다. 고후 변두리의 하숙집, 해가 잘 드는 방 한 칸을 빌려, 책상 앞에 앉아, 다행이라고 생각했다. 또 조금씩 일을 계속했다.

점심 무렵부터 혼자서 느릿느릿 일을 하고 있는데, 젊은 여자들의 합창 소리가 들려온다. 나는 펜을 멈추고, 귀를 기울인다. 하숙집 건너편에 골목길 하나를 사이에 두고 제사(製絲) 공장이 있다. 그곳의 여공들이 작업하면서 노래를 부르는 것이다. 그중에 한 사람, 유난히 고운 목소리가 있어, 그 사람이 리드하며 노래를 부른다. 군계일학, 그런 느낌이다. 고운 목소리네, 하고 생각한다. 고맙다는 말을 하고 싶을 정도였다. 공장의 담을 기어 올라가, 그 목소리의 주인을 한번 보고 싶다는 생각까지 들었다.

여기 한 사람, 쓸쓸한 남자가 있어, 매일매일 당신의 노래로 얼마나 위로받고 있는지 모른다, 당신은 그걸 모르실 테지, 당신이 나를, 나의 일을, 얼마나 꿋꿋이 북돋아주었는지, 나는 진심으로 감사의 말을 전하고 싶다. 그렇게 휘갈겨 써서, 공장의 창 안으로 편지를 던져볼까 하고도 생각했다.

하지만 그런 짓을 해서, 그 여공이 깜짝 놀라 겁을 먹고 갑자기 목소리를 잃어버린다면, 그건 큰일이다. 그 순수한 노래를 나의 감사가 오히려 탁하게 만든다면, 죄악이다. 나는 혼자서 애를 태우고 있었다.

사랑, 인지도 몰랐다. 2월, 춥고 조용한 밤이다. 공장 옆 골목길에서 술 취한 남자의 거친 말소리가 불쑥 들려왔다. 나는 귀를 기울였다.

── 무, 무시하지 마. 뭐가 우스운데? 가끔 술 좀 마신다고 해서, 내가 웃음거리 될 짓 한 적은 없어. I can speak English. 나, 야학에 다니고 있어. 누나, 알고 있었어? 모르겠지. 엄마한테는 비밀인데, 나 몰래 야학에 다니고 있거

든. 훌륭한 사람이 돼야 하니까. 누나, 뭐가 우스운데? 뭘 그렇게 웃는 거야. 근데 누나, 나 말이야, 이제 곧 출정해. 그땐 놀라지 마. 술주정뱅이 동생이라도 남들만큼은 할 수 있어. 거짓말이야, 아직 출정 날짜는 안 정해졌어. 그래도, 봐봐, I can speak English. Can you speak English? Yes, I can. 좋구나, 영어란 놈은. 누나, 분명히 말해봐, 나, 착한 애지? 그렇지? 착한 애지? 엄마는 아무것도 몰라. ……

나는 장지문을 조금 열고, 골목길을 내려다본다. 처음에는, 흰 매화인가, 생각했다. 아니었다. 그 남동생의 흰색 레인코트였다.

철 지난 레인코트를 입고, 남동생은 춥다는 듯이 공장 담벼락에 등을 찰싹 붙인 채 서 있고, 그 담벼락 위, 공장 창문으로 여공 한 명이 상반신을 내민 채, 술에 취한 동생을 바라보고 있다.

달이 떠 있었지만, 남동생의 얼굴도, 여공의 얼굴도 확실히는 보이지 않았다. 누나의 얼굴은 동그랗고, 희부옇고, 웃고 있는 것 같다. 동생의 얼굴은 검고, 아직 어린 티가 느껴졌다. 'I can speak'라는 그 술주정뱅이의 영어가 괴로울 정도로 나를 때렸다. 태초에 말이 있었다. 만물이 그로 말미암아 만들어졌다. 나는 문득, 잊고 있던 노래가 생각난 것 같은 기분이 들었다. 별것도 없는 풍경이었지만,

그래도, 나는 잊히지가 않는다.

그날 밤의 여공이 그 고운 목소리의 주인인지 아닌지, 그건 모르겠다. 아니겠지.

천하찻집을 떠난 다자이는 장모님이 소개해준 처가 근처 고토부키칸이라는 하숙집의 방을 얻어 작업을 계속했다. 이 작품은 그 하숙방에서 쓴 글이다.

봄 낮

4월 11일.

고후 변두리에 임시 거처를 마련하고, 어서 도쿄로 돌아가고 싶어 애를 써보지만, 좀처럼 맘대로 되지 않고, 벌써 반년 가까이 지나가버렸다*. 오늘 아침은 날씨가 화창해, 아내와 처제를 데리고, 다케다 신사에 벚꽃을 보러 간다. 어머니께도 함께 가자고 했지만, 어머니는 배가 아프다며 집을 본다. 다케다 신사는 다케다 신겐을 모시고 있어 해마다 4월 12일에 큰 축제가 열리는데, 그 무렵은 마침 경내에 벚꽃이 만개할 때다. 4월 12일은, 신겐이 태어

* 결혼 후 도쿄로 이사하기 전까지 고후 변두리에 잠시 집을 빌려 살던 무렵이다.

난 날이라나 죽은 날이라나, 아내도 처제도 자세히 설명해주는데, 나는 그게 수상쩍다는 생각이 든다. 벚꽃이 만개하는 날과 태어난 날이 이렇게 딱 맞아떨어지다니, 왠지 수상하다. 너무 그럴싸한 이야기라는 생각이 든다. 신사의 주지가 꿍꿍이수작을 부린 게 아닐까, 의심스러워진다.

벚꽃은 흘러넘치듯 피어 있었다.

"떨어지지 않다가, 않다가."

"아냐, 떨어지지 말다가, 말다가."

"틀렸어요. 떨어지다가, 말다가."

다들 웃었다.

축제 전날이란, 깨끗하고 싱그럽고, 고요한 긴장이 있어서 좋은 것이다. 경내는 먼지 한 톨 없이 깨끗이 비질이 되어 있었다.

"전람회에 초대받은 날 같네. 오늘 오기를 잘했어."

"난, 벚꽃을 보고 있으면, 개구리알 있잖아, 그 덩어리가 떠올라서……." 아내는 풍류를 모른다.

"참 안 됐군. 괴롭겠어."

"아아, 정말 괴로워. 되도록 생각 안 하려고 하는데. 그런데, 한 번, 그 알 덩어리를 봐버려서, 머릿속에서 떠나질 않아."

"난 소금 더미가 생각나는데." 이것도 딱히 풍류라고는 할 수 없다.

"개구리알보다는 낫네요." 처제가 자기 생각을 말한다.

"난, 새하얀 종이가 떠올라요. 왜냐하면, 벚꽃은 냄새가 하나도 없잖아요."

냄새가 있는지 없는지, 멈춰 서서 잠깐 조용히 있으니, 냄새보다 먼저, 파리의 날갯짓 소리가 들려왔다.

꿀벌의 날갯짓 소리인지도 모르겠다.

4월 11일, 봄 낮.

당선된 날

1. 가난한 작가

이번에 《고쿠민 신문(国民新聞)》의 단편소설 콩쿠르에 당선되어서, 그날의 일을 솔직하게 써보려고 한다. 나는 올해 정월 고후 출신 사람과 평범한 중매 결혼을 했는데, 저축이라고는 한 푼도 없어 바로 도쿄에 집을 얻을 수는 없었다. 집 보증금으로 백 엔 정도는 준비해야 하고, 그 밖에도 살림살이 일체를 사려면 아무리 못해도 또 백 엔이 필요할 텐데, 결혼 당시에 내가 가진 거라고는 입고 있는 옷과 책상, 이불뿐이었기 때문에 꽤 고민이 많았다. 처음에 우리는 어느 산속 싸구려 여관에라도 숨어 지내면서, 내가 어떻게든 열심히 일해 집을 얻을 돈을 벌겠다고 의논하기도 했는데, 다행히 고후 처가 근처에 6엔 50전에 방 세 칸이 딸린 작은 집을 찾아내, 당분간 여기도 괜찮겠군, 산속 여관보다 쌀지도 모르지, 하고 화로며 빗자루며 양동이를 사 들고 그 집으로 들어갔다. 여기는 보증금도 필요 없었다.

고후 변두리여서 방에 앉아 있어도 창문으로 후지산이 잘 보인다. 포도나무 시렁도 있고, 사립문도 있고, 무엇보다 집세가 6엔 50전으로 싸서 그게 기뻤다. 기차 소리가 희미하게 들려오는 정도이고, 밤 8시가 지나면 고요하다.

"알겠지? 쓸쓸함에 지면 안 돼. 난 그게 제일 중요한 마음가짐이라고 생각해."

나는 조금 진지한 말투로 아내에게 그렇게 말했다. 나 자신이, 쓸쓸함에 질 것만 같아서 불안하기도 해서였다.

이 집에서 제일 처음 쓴 소설은 〈황금 풍경〉이라는, 원고지 열 장이 채 못 되는 단편이었는데, 그 단편이 이번 콩쿠르에 당선된 것이다. 나는 당선 같은 건 정말 꿈에도 생각지 못했다. 지금까지 내 성격과 성향 등에 대한 말들이 꽤 부풀려져 돌아다녔는데, 확실히 내게도 부주의한 점이 있었고, 분명 내 모자란 부분이기도 했지만, 일부 사람들이 엉뚱한 소문을 믿고 있는 바람에 내 평판은 아주 나빴다. 당선 같은 건 생각지도 못한 일로, 아내에게도, 처갓집 식구들에게도 "이번에 고쿠민 신문에서 단편소설 콩쿠르가 있어서 저도 쓸 건데, 뭐, 꼴찌에서 두세 번째쯤이라고 생각해주세요. 아니, 진짜 그래요" 하고 어쩌다 말이 나와서 그렇게 말하고 웃은 적이 있다. 그때, 장모님 혼자 웃지 않고 솔직하게 쓸쓸한 표정을 짓고 있어, 그걸 알아차린 나는 아주 풀이 죽어버렸다.

2. 존경하는 네 사람

4월 22일 아침, 나는 이번에 출간될 예정인《사랑과 미에 대하여》라는 단편집 교정쇄를 자다가 받았다. 그 교정쇄와 함께 속달 엽서가 왔는데, 거기에 간바야시 씨와 다자이 씨가 콩쿠르에 당선되었다고 쓰여 있는 걸 보고, 나는 처음에 멍하니 있었다. 아무 생각도 나지 않았다. 그냥, 보고 있었다. 차츰 상황 파악이 되었다.

"여보, 여보" 하고 부엌에 있는 아내를 불러, 그 엽서를 보여주었다.

"이상하네."

아내도 순간, 묘한 얼굴을 했다.

“어쨌든 역에 가서 신문 하나 사 올게.”

그 엽서에는 22일 자 신문에 상세 발표가 있을 것입니다, 하고 나와 있었다.

역까지 걸어서 15분쯤 걸린다. 아침 8시 조금 전에, 서둘러 학교로 향하는 중학생들이 까맣게 꿈실꿈실 줄지어 있었다. 걷고 있는데 점점 즐거워졌다. 당선이라는 사실이 확실히 와 닿은 것이다. 문득 중학교에 합격했을 때의 기분이 떠올랐는데, 그때의 기쁨도 이랬다. 순식간에, 주변 풍경이 쨍하고 환해진 듯한, 갑자기 키가 한 자나 자라서 다른 인종이 된 듯한, 역시나 빛이 나는 듯한 기분이었다.

장모님에게 제일 먼저, 그 신문을 보여주고 싶었다. 역에서 신문을 사서, 그걸 치깃집 우편함에 모르는 척하고 쉽어넣고 올까, 하는 생각까지 했다. 장모님은 아무 가진 것 없는 나 같은 가난한 서생에게 딸을 보내고, 내심 참으로 쓸쓸했을 것이다. 큰 결심을 하고 딸을 보냈을 게 틀림없다. 나는 조금이라도 장모님이 기뻐하는 모습을 보고 싶었다. 내게는 나를 낳아준 어머니도 있지만, 이런저런 사정으로 지금은 소식이 끊어져 효도를 하고 싶어도 좀처럼 받아들여지지 않는 처지이기에, 하다못해 장모님에게만이라도 자식 된 도리를 조금이나마, 무력한 내가 할 수 있는 작은 범위 내에서라도, 뭔가를 하고 싶은 마음이다.

정차장 매점에는 고쿠민 신문이 한 부 남아 있었다. 나는 5전을 주고 그걸 샀다. 정차장 대합실 벤치에 앉아, 신문을 펼쳐보았다. 내 사진이 간바야시 씨 사진과 나란히 실려 있었다. 내 얼굴은 살짝 손을 봤는지 하얗게 인쇄되어 있었다. 하지만 여전히 울상을 짓고 있는 얼굴이었다. 나에게 네 표가 들어왔다. 네 사람. 나는 바짝 진지해졌다. 든든한 마음이 들었다. 네 사람. 네 사람이 지금까지의 내 악평을 밀어젖히고 감연히 표를 던져주었다. 아름답다고 생각했다. 엄숙함을 느꼈다. 옷깃을 여미고 싶은 기분이었다. 네 사람. 그중에 두 사람의 얼굴은 곧바로 떠올랐다. 나머지 두 사람은 내가 모르는 사람인지도 모른다. 나는 이 네 사람을 잊어서는 안 된다. 나는 꾸밈없이 말하겠다. 나는 이 네 사람을 영원히 존경할 것이다.

3. 아무 일 없는 날이 좋은 날

그 신문을 품에 넣고, 집으로 돌아갔다. 아무리 그래도 처갓집 우편함에 넣을 수는 없었다. 아내에게도 보여주고 싶었다.

아내는 그 신문을 읽고는,

"그래도 잘됐어요. 간바야시 씨와 함께여서, 정말 안심이에요. 당신 혼자였으면, 당신도 마음이 안 좋았겠죠?"

나는 아내를 칭찬해주고 싶었다. 나도 간바야시 씨와 함께였기 때문에, 이게 특히 마음 든든했고, 또한 — 이건 기명투표니까 공표해도 문제없겠지만 — 내 진지한 한 표를 간바야시 씨의 〈겨울철 붕어〉에 던졌기 때문에, 내 기쁨도 두 배가 되었던 것이다. 나는 아침을 먹기 전에 교정을 마무리 지을 생각으로 책상에 앉았는데, 장모님이 불쑥 찾아왔다. 장모님은 고후의 '란도라'인가 뭔가 하는 하이킹 모임에서, 야마다카진다이 벚꽃* 구경을 갈 사람을 모집한다는데 한번 가보는 게 어떻겠나, 단체 여행이면 이것저것 설명도 해줄 테고, 여행비도 싸서 1엔 정도니까, 이번 기회에 가보면 어떤가, 매일 그렇게 일만 하지 말고, 잠깐 바람이라도 쐬지 그러나, 하며 하루쯤 놀다 오라고 우리에게 권하는 것이었다.

"아, 그리고 이 책 고마웠네" 하고 얼마 전에 내가 빌려드린 조르주 심농의 탐정소설을 보따리에서 꺼내며,

* 야마나시 현 짓소지(実相寺) 절 경내의 벚꽃으로 일본 3대 벚꽃 중 하나.

"재밌던데. 이 심농이라는 사람."

장모님은 올해 예순다섯 살인데, 뒤마, 코난 도일의 기괴 탐정물을 좋아한다. 영어도 조금 읽을 수 있다.

"이 사람 책, 뭐 딴 건 없나?"

"어머니, 그것보다요." 나는 고쿠민 신문을 가져와 "여기 좋은 게 실려 있습니다."

나도 아내도 웃고 있으니, 장모님도 덩달아 웃으며,

"뭔가? 안경이 없으면 잘 안 보여서. 아이구, 아이구, 사진이 나왔네."

"제가 언젠가 말씀드렸잖아요. 고쿠민 신문 콩쿠르가 있는데 전 평판이 나빠서 꼴찌에서 두세 번째일 거라고요."

"그랬나?"

장모님은 고개를 갸웃했다. 까맣게 잊어버린 것 같았다.

장모님은 가만히 신문을 읽었다. 다 읽고 나서,

"황금 풍경이라니, 어떤 소설인가? 난 아직 안 읽어봤는데."

작품을 읽어보지 않았으니 장모님도 당선 사실이 믿기지 않는 것 같았다. 어쩐지 불안한 모양이었다.

"그게 말예요. 별로 자신이 없어요. 도저히 못 보여드리겠어요. 그냥 인정(人情)으로 당선된 거예요."

그렇게 말은 했지만, 인정, 이라고 딱 잘라 말해버리면, 진지하게 투표해주신 네 사람에게 죄송하다는 생각이 들었다. 그 부분이 말로 표현하기가 힘들었다.

진다이 벚꽃 구경은 단체 여행으로 가지 말고, 우리끼리 여유롭게 놀러 가요, 상금을 받으면, 그 돈으로 가요, 그렇게 해요, 하고 셋이서 얘기를 마무리 지었다.

장모님이 돌아가고, 나는 교정을 시작해 점심때쯤 끝내고, 늦은 아침을 먹고, 그리고 마감이 닥친 소설을 조금씩 쓰고 있는데, 자꾸만 쓸쓸해졌다.

"여보, 별 대단한 것도 아니지?"

"아니에요. 난, 이만큼의 기쁨이 제일 행복해요. 5백 엔, 천 엔 받는 것보다, 간바야시 씨와 둘이서 50엔씩 나눠 받아서 정말로 좋아요."

나는 해 질 무렵까지, 일을 계속했다. 처제가 아내에게 겹옷 하나를 가져왔다.

"이거, 엄마가 언니 주라던데."

상으로 주는 건지도 모르겠다.

밤에 또 교정쇄가 속달로 와서, 12시가 다 될 때까지 거기에 매달려 있었다.

황금 풍경

바닷가에 싱그러운 떡갈나무, 그 떡갈나무에 가느다란 황금 사슬이 묶여 있어 —— 푸시킨

나는 어릴 때 그다지 착한 아이가 아니었다. 하녀를 못살게 굴었다. 나는 느려 터진 걸 싫어하는데, 그 때문에 느려 터진 하녀에게 유독 못되게 굴었다. 오케이는 느려 터진 하녀다. 사과를 깎으라고 해도, 깎으면서 무슨 생각을 하는지, 두 번 세 번 손을 멈추기에, 뭐해! 하고 그때마다 호통을 치지 않으면, 한 손에는 사과, 한 손에는 칼을 쥔 채, 언제까지고 멍하게 있다. 모자란 거 아냐, 하고 생

각했다. 부엌에서, 아무것도 하지 않고, 그저 우두커니 서 있는 모습을 나는 종종 보곤 했는데, 어린 마음에도 꼴 보기 싫고, 이상하게 화가 치밀어, 어이, 오케이야, 해는 짧다, 하고 어른들 말투로, 지금 생각해도 등줄기가 오싹해지는 것 같은 매정한 말을 내뱉었다.

그것도 모자라, 한 번은 오케이를 불러다가 내 그림책에 그려진 군대 열병식 속의 우글대는 병사 수백 명, 말을 탄 사람도 있고 깃발을 든 사람도 있고, 총을 멘 사람도 있는데, 그 병사 하나하나를 가위로 오리라고 시켰다. 손재주가 없는 케이는 아침부터 점심도 거르고 해가 질 때까지, 겨우 서른 명쯤, 그것도 대장의 한쪽 수염은 잘라버리고, 총을 든 병사의 손은 곰 발처럼 무섭도록 크게 오려내, 그때마다 나는 고함을 쳤고, 여름철이라, 케이가 땀을 많이 흘려, 오려낸 병사 전부가 케이 손의 땀으로 축축하게 젖어버려, 나는 끝내 화가 치밀어 케이를 걷어찼다. 분명 어깨를 찼을 텐데, 케이는 오른뺨을 감싸며, 철퍼덕 엎드리더니 울며불며 말했다. "엄마 아빠한테도 뺨을 걷어차인 적은 없어. 평생 안 잊어버릴 거예요" 하고 끙끙 앓는 듯한 말투로, 더듬더듬 그렇게 말하기에, 나도 꺼림칙한 기분이 들었다. 그 일이 아니고도, 나는 마치 하늘의 명이기라도 하다는 듯이, 오케이를 구박했다. 지금도 조금은 그런데, 나는 무지하고 미련한 사람은 도저히 참을 수가 없다.

재작년, 나는 집에서 쫓겨나 하룻밤 사이에 쫄딱 망해, 거리를 헤매고 여기저기 울고불고 매달리며 하루하루 목숨을 이어가다가, 차츰 글재주로 살아갈 방법을 찾았다고 생각했는데, 바로 병을 얻었다. 사람들의 정으로 여름 동안, 지바 현 후나바시 바닷가의 작은 집을 빌려 요양할 수 있게 되었는데, 밤마다 잠옷이 흠뻑 젖을 만큼 식은땀과 싸우면서도 일은 해야 했고, 매일 아침 차가운 우유 한 잔, 오직 그것만이 기묘하게 살아 있는 기쁨 같았고, 뜰 한구석에 핀 협죽도꽃이 이글이글 불타오르는 것처럼 느껴질 만큼 내 머리도 완전히 고통으로 지쳐 있었다.

그러던 무렵, 호구 조사를 하는 마흔 살가량의 작고 마른 순사가 찾아와, 현관에서 장부에 적힌 내 이름과 덥수룩하게 수염이 자란 내 얼굴을 찬찬히 비교해보더니, 어어, 혹시 …… 댁 도련님 아니십니까? 라고 한다. 그렇게 말하는 순사의 말에는 억센 고향 사투리가 섞여 있어, "그런데요" 하고 나는 정색하고 대답했다. "누구십니까?"

순사는 야윈 얼굴에 쑥스러운 듯 웃음을 가득 띠며,

"이야, 역시 그랬군요. 기억하실지 모르겠는데, 그럭저럭 20년쯤 전에 제가 K에서 마차꾼을 했습니다."

K는 내가 태어난 마을 이름이다.

"보시다시피" 나는 웃지도 않고 대답했다. "저도 지금은 망했습니다."

"무슨 말씀을." 순사는 여전히 기쁘게 웃으며, "소설을 쓰신다면, 그건 대단한 출세입니다."

나는 씁쓸히 웃었다.

"그건 그렇고" 순사는 조금 목소리를 낮추며, "오케이가 늘 도련님 이야기를 해요."

"오케이?" 금방 알아듣지 못했다.

"오케이 말입니다. 잊으셨나 보네요. 도련님 댁에 하녀로 있던……."

생각이 났다. 아아, 하고 나도 모르게 신음 소리를 내며, 나는 현관 마루에 쭈그린 채 고개를 숙이고, 20년 전, 그느려 터졌던 한 명의 하녀에게 저질렀던 나의 악행이, 하나하나 또렷이 떠오르며, 도저히 그 자리에 있을 수가 없었다.

"행복합니까?"

불쑥 얼굴을 들고 그런 엉뚱한 질문을 던지는 내 얼굴은 분명 죄인이자 피고이며, 비굴한 웃음마저 띠었던 걸로 기억한다.

"아, 예에, 그럭저럭."

거리낌 없이 쾌활하게 답하며, 순사는 손수건으로 이마의 땀을 닦으며, "괜찮을까요? 다음에 오케이도 함께 와서 천천히 인사라도 드리겠습니다."

나는 펄쩍 뛰어오를 정도로 깜짝 놀랐다. 아닙니다! 뭐, 그럴 것까지는! 하고 격하게 거부하며, 나는 이루 말할 수 없는 굴욕감에 몸부림쳤다.

하지만 순사는 명랑했다.

"아들 녀석이 이곳 역에서 근무하게 됐거든요, 큰아들입니다. 그 밑으로 아들, 딸, 딸, 그리고 막내가 여덟 살로 올해 소학교에 들어갔어요. 이제 한숨 놨습니다. 오케이도 고생 많았어요. 뭐랄까, 도련님 댁 같은 대갓집에 들어가서 예의범절을 배운 사람은 역시 어딘가 다르더군요." 조금 얼굴을 붉히고 웃으며, "도련님 덕분입니다. 오케이도 늘 도련님 이야기를 해요. 이번 공휴일에 꼭 함께 인사드리러 오겠습니다." 그러더니 곧바로 진지한 얼굴로 말했다. "그럼 오늘은 그만 가보겠습니다. 몸조리 잘하십시오."

그리고 사흘이 지나, 나는 일보다도 돈 때문에 고민이 되어, 집에 가만히 있을 수가 없어, 대나무 지팡이를 들고, 바다로 나가려고 현관문을 드르륵 여는데, 밖에 세 사람, 유카타를 입은 아버지와 어머니, 그리고 빨간 옷을 입은 여자아이가 그림처럼 아름답게 나란히 서 있었다. 오케이의 가족이다.

나는 나 자신도 의외다 싶을 만큼, 어마어마하게 큰 소리로 말했다.

"오셨군요! 근데 오늘은 제가 지금 일이 있어서 나가봐야 할 것 같습니다. 죄송하지만 다음에 와 주시겠습니까?"

오케이는 품위 있는 중년 부인이 되어 있었다. 여덟 살 난 아이는 하녀 때의 오케이를 똑 닮았는데, 살짝 맹하고 흐릿한 눈으로 멍하니 나를 쳐다보고 있었다. 나는 슬프게, 오케이가 미처 말 한마디 꺼내기도 전에, 도망치듯 바닷가로 냅다 뛰었다. 대나무 지팡이로 바닷가의 잡초를 내내 후려치면서, 한 번도 뒤돌아보지 않고, 한 발, 한 발, 쿵쿵 거친 발걸음으로, 아무튼 바닷가를 따라 마을 쪽으로 쭉 걸었다. 나는 마을에서 뭘 하고 있었을까. 그저 의미도 없이, 영화관의 간판 그림을 올려다보기도 하고, 포목점 유리창을 들여다보기도 하다가, 쳇, 쳇, 하고 혀를 차는데, 마음 한구석에서, 졌다, 졌어, 하고 속삭이는 소리가 들려와, 이건 안 돼, 하고 세차게 몸을 흔들고는, 또 걷다가, 30분쯤 그러고 있었을까, 나는 다시 집으로 발걸음을 돌렸다.

바닷가로 나와, 나는 멈춰 섰다. 보라, 내 앞에 평화로운 그림이 있다. 오케이네 가족 셋, 한가로이 바다에 돌을 던지며 즐거워하고 있다. 목소리가 여기까지 들려온다.

"엄청" 순사가 힘껏 돌을 던지며, "머리가 좋은 분이잖아. 그분은 이제 곧 대단해지실 거야."

"그렇고말고요. 그렇고말고요." 자랑스럽다는 듯한 오케이의 목청 높은 소리다. "그분은 어릴 때부터 남달랐어요. 아랫사람한테도 그렇게 친절하고, 잘 돌봐주셨어요."

나는 선 채로 울고 있었다. 거친 흥분이, 눈물에, 완전히 기분 좋게 녹아 사라져버린다.

졌다. 그건, 좋은 것이다. 그렇지 않으면, 안 된다. 그들의 승리는, 또한 내일 나의 출발에도, 빛을 비출 것이다.

《고쿠민 신문》 단편소설 콩쿠르에 당선된 작품이다. 미치코와 결혼식을 올린 날 밤에, 다자이가 구술하고 미치코가 전문을 받아쓴 글이다. 미치코는 "이 집에서 쓴 첫 작품은 〈황금 풍경〉으로, 다자이는 기다렸다는 듯이 나에게 받아 쓰게 했다"고 말했다. 다자이의 작품 중에는 구술에 따라 미치코가 받아쓴 글이 꽤 있다.

희미한 빛

도쿄 미타카에 있는 집이 폭탄으로 무너져, 아내의 고향인 고후로 온 가족이 이주했다. 고후의 처가에는 처제 혼자 살고 있었다.

1945년 4월 초였다. 연합군 폭격기가 고후의 하늘을 이따금 지나갔지만, 폭탄 투하는 거의 한 번도 없었다. 마을 분위기도 도쿄만큼 전쟁터 같지는 않았다. 우리도 오랜만에 방공복을 벗고 잠들 수 있었다. 나는 서른일곱 살이 되어 있었다. 아내는 서른네 살, 큰딸은 다섯 살, 큰아들은 그 전해 8월에 태어나 이제 두 살이다. 지금까지의 우리 생활도 결코 편치는 않았지만, 어쨌든 다들 큰 병 없이 다치지 않고 살아왔다. 기왕에 지금까지 고생을 참고 살아왔으니, 차라리 좀 더 살아남아 세상 돌아가는 모습을 보고 싶다는 마음도 들었다. 하지만 그것보다는 아내와 아이들이 먼저 가버리고 나 혼자 남게 된다면 견딜 수 없을 것 같은 마음이 더 강했다. 그건 생각만으로도 참을 수가 없었다. 어쨌든 아내와 아이들을 죽게 해서는 안 된다. 그러기 위해서는 만반의 조치를 마련해야 한다. 하지만 나는 돈이 없었다. 이따금 목돈이 조금 들어올 때가 있었지만 나는 바로 그 돈으로 술을 마셔버린다. 나는 술을 마시지 않으면 못 견디는 이상한 결점이 있었던 것이다. 그 무렵의 술은 꽤 비쌌지만, 나는 친구가 찾아오면 여전히 안절부절못하다가 예전처럼 함께 나가 술을 마구 마시지 않으면 견디지를 못했다. 이래서는 만반의 조치고 뭐고 아무것도 없었다. 많은 사람들이 가족을 먼 시골로 피난시키는 걸 부러워하면서도, 나는 돈도 없고 기분도 울적해 하염없이 미타카에서 우물쭈물하는 사이에 결국 폭탄을 맞고, 그제야 더는 도쿄에 있기가 싫어져 온 가족이 아내의 고향으로 떠났다. 그리고 약 백 일 만에 방공복을 벗고 잠들 수 있게 되고, 이제는 한동안 추운 밤중에 아이를 깨워 방공호로 뛰어들지는 않아도 되겠구나 생각하며, 앞으로도 여러 가지 힘든 일이 있을 거라고 예상은 하면서도 어쨌든 조금은 안도의 한숨을 내쉬게 된 것이다.

하지만 우리는 이미 '우리 집'을 잃어버린 가족이다. 뭔가 우리의 생각과는 다른 것들이 많았다. 나도 지금까지 남 못지않게 생활의 고생은 해왔다고 생각하지만, 어린아이 둘을 데리고, 처가가 아무리 가까운 친척이라고는 해도, 남의 집에 얹혀살게 되다 보니, 이제껏 경험한 적 없는 이런저런 특별한 고생도 맛보았다. 고후의 처가에는 아버님 어머님도 돌아가시고 처형은 시집을 가, 막내아들이 호주가 되어 있었는데, 이삼 년 전에 대학을 나와 바로 해군에 들어가버려 지금 고후 집에 남아 있는 사람은 그 바로 손위 누나이자, 아내의 손아래 동생인 스물여섯인가 일곱인가 되는 처제 혼자 살고 있었다. 그 처제가 고후 집에 대해서는 늘 해군에 있는 남동생과 편지로 의논하고 있는 모양이었다. 나는 그 두 사람의 형부이자 매형이었는데, 형부라는 사람이 그 집에서 어떤 실권도 있을 리가 없다. 실권은커녕, 나는 결혼한 이후로 이 집의 온 가족에게 이것저것 신세만 지고 있다. 말하자면 믿을 만 한 사람이 못 되니, 처제나 처남이 집에 대해 아무런 의논도 하지 않는 건 참으로 당연한 일이고, 나 역시 고후 처가의 재산 따위에는 전혀 흥미도 없기 때문에 그건 피차 좋은 것이었다. 그런데 스물여섯인지 일곱인지, 여덟인지, 굳이 물어본 적도 없어서 확실히 기억나지는 않지만, 어쨌든 그 처제가 혼자 떠맡고 있는 집에 서른일곱의 형부와 서른넷의 언니가 아이 둘을 데리고 우르르 찾아온 것이다. 처제와 먼 곳의 어린 해군 처남을 얼렁뚱땅 속여 어느새 그 집 재산에도 이러쿵저러쿵, 그렇다고 설마 그렇게 짐작하는 사람이야 없겠지만, 어찌 됐든 우리 쪽이 나이가 많으니까 무의식중에라도 혹시나 그들의 프라이드를 짓밟지는 않을까, 하고 그 무렵의 실감으로 말하면, 마치 부드러운 이끼가 잔뜩 자란 뜰을, 그 뜰의 이끼를 밟지 않으려고 징검돌을 통통 건너뛰며 무척 신경 쓰며 걸어가는 것 같은 모습이었다. 좀 더 나이를 먹고 세상의 고생도 많이 겪은 남자가 하나 이 집에 있었더라면, 우리도 조금은 더 마음이 편하지 않았을까, 하는 생각조차 들었다. 소극적인 배려도 힘이 드는 법이다. 나는 그 집 뒤뜰과 면한 다다미 여섯 장짜리 방을 내 작업실 겸 침실로 빌리고, 불단이 있는 다른 방 하나를 아내와 아이의 침실로 빌려, 보통 시세로 방세를 정하고, 식비와 그 밖의 것에 대해서도 처가에 손해를 끼치지 않도록 충분히 조심했다. 또 나를 찾아오는 손님이 있을 때는 그 집의 응접실을 쓰지 않고 내 작업실에서 만나기로 했는데, 내가 술꾼인 데다 도쿄에서 놀러 오는 손님도 가끔 있어, 처가의 권리를 아주 중하게 생각하면서도 의도치 않게 미안한 일이 생길 때가 많았다.

처제도 오히려 우리를 조심스레 대하며 아이들을 자주 돌봐주기도 해, 한 번도 언짢은 충돌 같은 건 없었지만, 우리에게 '집 잃은' 사람의 비뚤어진 마음이 있었는지, 역시나 왠지 살얼음을 밟으며 걷는 듯이 마음이 쓰였다. 결국이 피난이란 건 처가에도 우리에게도 서로 피가 마를 만큼 힘든 것으로 결론이 나는 것 같다. 하지만 그나마 우리는 피난민치고는 가장 형편이 나은 편이었으니, 다른 피난민의 사정은 가히 짐작할 만하다.

"피난은 가지 마. 집이 홀랑 다 타버리기 전에는 도쿄에 붙어 있는 게 좋아."

나는 그렇게 그 무렵 도쿄에 온 가족이 다 남아 있는 어느 친한 친구에게 편지를 보낸 적도 있었다.

고후에 온 것은 4월의 아직 살짝 추울 때로, 벚꽃도 도쿄보다 훨씬 늦어 겨우 드문드문 피기 시작할 즈음이었는데, 그때부터 5월, 6월, 슬슬 분지 지역 특유의 뜨거운 열기가 닥쳐와 석류나무의 짙은 초록 잎이 반짝이고, 그 진홍색 꽃이 뜨거운 햇살을 받아 활짝 피고, 포도 덩굴의 푸르고 작은 열매도 하루하루 부풀어 오르며 조금씩 묵직하고 긴 송이를 만들어가고 있을 즈음, 별안간 고후 시내가 시끄러워졌다. 공격이 중소도시로 향하면서, 고후도 이제 곧 깡그리 불타게 되었다, 라는 소문이 온 시내에 퍼졌다. 시민들은 전부 안절부절못하며 가재도구를 수레에 실어 가족을 데리고 산속으로 도망가고, 그 발소리나 수레 소리가 한밤중에도 끊임없이 귀에 들려왔다. 이제 고후도 언젠가는 폭격을 맞겠구나 각오하고 있었지만, 그래도 오랜만에 방공복을 벗고 잠들며 겨우 마음을 놓았다 싶었는데 또다시 떠날 채비를 갖춰 수레를 끌고 처자식을 데리고 산속의 낯선 집에 신세를 지러 피난을 간다는 건 너무나 힘든 일이었다.

힘을 내자. 소이탄을 떨어뜨리기 시작하면 아내는 작은 아이를 업고, 큰아이는 이제 다섯 살이라 혼자서 아장아장 걸을 수 있으니까 그 아이의 손을 잡고, 셋이서 어떻게든 마을 변두리의 밭으로 도망친다. 그리고 나와 처제는 남아서 가능한 한 불길과 싸우며 이 집을 지키자. 불에 타면 불에 탄 대로 다 같이 힘을 모아 그 자리에 오두막이라도 지어서 열심히 살아보자.

내가 그렇게 말을 꺼냈는데, 어쨌든 다들 그런 각오로 구멍을 파서 식량을 묻고, 냄비와 솥, 밥공기는 종류별로 하나씩, 우산, 신발, 화장품, 거울, 실과 바늘, 어떻게든 집이 싹 다 타버려도 비참한 꼴이 되지 않도록 최소한의 필수품을 땅속에 묻어놓기로 했다.

"이것도 묻어주세요."

다섯 살 딸아이가 자신의 빨간 나막신을 가져왔다.

"아아, 그래, 그래" 하고 그걸 받아 구멍 한쪽 구석에 끼워 넣는데, 문득 누군가를 매장하고 있는 듯한 기분이 들었다.

"겨우 우리 가족도 마음이 모이게 되었네."

하고 처제가 말했다.

그것은 처제에게, 소위 멸망 전야의 신비롭고 희미한 행복감이었는지도 모른다. 그로부터 사오일도 안 돼서 집은 다 타버렸다. 내 예감보다 한 달이나 빠른 공습이었다.

그 열흘 전부터 두 아이가 모두 눈이 좋지 않아 병원에 다니고 있었다. 유행성 결막염이다. 아들아이는 그렇게 나쁘지 않았지만, 딸아이는 하루하루 심해지기만 해, 공습이 있기 이삼일 전부터는 완전히 실명 상태가 되었다. 눈꺼풀이 부어 얼굴이 변해버려, 눈꺼풀을 손으로 억지로 벌려 안구를 살펴보니 거의 죽은 물고기의 눈알처럼 짓물러져 있었다. 이건 어쩌면 단순한 결막염이 아니라 악질 세균에라도 침범당해 손쓰기에는 너무 늦은 게 아닐까 하는 생각까지 들어 다른 의사에게도 진찰을 받았지만, 역시 결막염이라며 다 나을 때까지는 꽤 시간이 걸리지만 절망적이지는 않다고 한다. 하지만 의사가 잘못 보는 경우도 종종 있다. 아니, 잘못 보는 경우가 많다. 나는 의사의 말은 그다지 신용하지 않는 성격이다.

빨리 눈을 뜨게 해야 한다. 나는 술을 마셔도 취하지 않았다. 밖에서 술을 마시고 집에 돌아오는 길에 토할 때도 있었다. 길가에서, 농담이 아니라, 두 손 모아 빌었다. 집에 가면 그 아이의 눈이 떠져 있기를, 하고 기도했다. 집에 가니, 아이의 순진한 노랫소리가 들려온다. 아아, 다행이다, 눈이 떠졌구나, 하고 방으로 뛰어 들어가보니, 아이가 어두침침한 방 한복판에 힘없이 선 채 고개 숙여 노래를 부르고 있다.

도저히 보고 있을 수가 없었다. 나는 그대로 또 밖으로 뛰쳐나간다. 모든 게 나 한 사람의 책임이라는 기분이 들어 견딜 수가 없다. 내가 가난한 술꾼이어서 아이도 앞을 못 보게 된 거다. 지금까지 어엿한 시민으로 살아왔다면 이런 불행도 일어나지 않았는지도 모른다. 부모의 업보를 자식이 물려받는 것이다. 벌이다. 만약 이 아이가 이대로 평생 눈을 뜨지 못한다면, 나는 이제 문학도 명예도 아무것도 필요 없다, 전부 다 버리고 이 아이 곁에만 붙어 있겠다, 라는 생각도 했다.

"아기 발은 어딨어? 손은 어딨어?"

하고 기분이 좋을 때는 더듬더듬하며 남동생과 놀고 있는 모습을 보며, 만약 이 상태 그대로 공습을 받으면, 하고 생각하니, 또 온몸이 떨렸다. 아내는 아들아이를 업고 나는 이 아이를 업고 도망칠 수밖에 없겠지만, 그러고 나서 처제 혼자서 이 집을 지키기란 도저히 불가능하다. 처제도 역시 도망가야겠지. 이 집은 타버린 채 두기로 한다. 그리고 도쿄에서도 그랬듯이, 폭격기의 공격이 고후 시 전체에 있을 거라고 각오해야 한다. 이 아이가 다니고 있는 병원도 불에 탈 게 분명하다, 그리고 다른 병원도, 어쨌든 고후에 의사가 사라진다. 그러면 이 아이는 앞이 안 보이는 채로 어떻게 되는 걸까. 모든 게, 끝이다.

"어떻게 되든 상관없어. 어떻게든 앞으로 한 달만 기다려줘도 될 텐데 말이야."

내가 저녁 식사 때 웃으며 그렇게 가족들에게 말한 날 밤, 공습경보와 동시에 폭발 소리가 크게 들리고, 순식간에 사방이 환해졌다. 소이탄 공격이 시작된 것이다. 철벙철벙 처제가 툇마루 끝의 작은 연못에 그릇들을 집어 던지는 소리가 들렸다.

이제 정말로 최악의 시기가 찾아온 것이다. 나는 앞을 못 보는 아이를 업었다. 아내는 아들아이를 업고, 이불을 한 장씩 끌어안고 달렸다. 도중에 두세 번, 길가의 도랑으로 피했다가 1킬로미터쯤 가서 겨우 논밭을 빠져나왔다. 보리를 막 베어놓은 밭에 이불을 깔고 앉아서 한숨 돌리고 있는데, 쫘아 하고 머리 위로 불 비가 떨어져 내렸다.

"이불 덮어써!"

아내에게 외치고 나도 아이를 업은 채 이불을 뒤집어쓰고 밭에 엎드렸다. 직격탄을 맞으면 아프겠지, 하고 생각했다.

직격탄은 맞지 않았다. 이불을 걷고 상반신을 일으키고 보니, 내 주변이 불바다다.

"어이! 일어서서 불 꺼! 끄라고!" 하고 나는 아내뿐만이 아니고 근처에 엎드려 있는 사람들 모두에게 들릴 수 있게 아주 큰 소리로 외치고, 덮어쓴 이불로 주변의 불꽃을 한쪽 끝에서부터 꺼나갔다. 불은 재미있다 싶을 정도로 잘 꺼진다. 등에 업힌 아이는 눈이 안 보여도 뭔가 심상치 않은 기색을 느꼈는지 울지도 않고 가만히 아버지의 어깨에 달라붙어 있다.

"다친 덴 없어?"

대충 불길을 진압한 뒤에 나는 아내에게 다가가 물었다.

"으응" 하고 조용히 답하더니 "이 정도로 끝나면 좋을 텐데."

아내는 소이탄보다 폭탄이 더 싫은 것 같았다.

밭의 다른 곳에 가서 잠시 쉬고 있는데, 또 머리 바로 위로 불 비. 이상한 말이지만, 살아 있는 인간에게는 한 조각 무언가 신성한 것이라도 있는지, 우리뿐만 아니라 그 밭으로 도망쳐온 사람들 전부 아무도 다친 데가 없었다. 저마다 주변에 불타고 있는 끈적끈적한 덩어리 같은 것에 이불이나 흙을 덮어 끄고 또 잠깐 휴식.

처제는 내일 우리가 먹을 식량이 걱정되어 고후시에서 6킬로미터나 떨어진 산속의 먼 친척 집으로 떠났다. 우리 가족 넷은 이불 한 장은 땅바닥에 깔고 또 한 장은 다 같이 덮어쓰고 그곳에 머물러 있기로 했다. 정말로 나는 지쳐버렸다. 아이를 업고 이리저리 뛰어다니는 게 진력이 났다. 아이들은 벌써 이불 위에 누워 곤히 잠들어 있다. 우리는 그저 멍하니 고후시의 불꽃을 바라보고 있다. 비행기의 폭음도 이제 그다지 들리지 않게 되었다.

"이제 슬슬 끝나겠네요."

"그렇겠지. 아아, 정말 질렸어."

"우리 집도 탔겠죠."

"글쎄, 어떨지. 남아 있으면 좋을 텐데."

어차피 아닐 거라고 생각하면서도, 또 혹시나, 기적적으로 집이 남아 있다면 얼마나 기쁠까 하고도 생각한다.

"탔을 거야."

"그렇겠죠."

하지만 속으로는 실낱같은 희망을 버릴 수 없었다.

바로 눈앞의 농가 한 채가 훨훨 타고 있다. 타기 시작해서 다 타버릴 때까지 참으로 긴 시간이 걸린다. 지붕이며 기둥과 함께 그 집의 역사도 같이 타오르고 있다.

희미하게 날이 밝아온다.

우리는 마을 변두리의 타다 남은 국민학교에 아이를 업고 가 2층 교실에서 쉬었다. 아이들도 슬슬 잠이 깬다. 잠이 깬다고 해도 딸아이의 눈은 감긴 채다. 손으로 더듬거리며 교단에 기어올라 뭔가를 하고 있다. 자신의 몸에 일어난 변화에는 아무 신경도 쓰지 않는 모양이다.

나는 아내와 아이들을 교실에 두고 우리 집이 어떻게 되었는지 살펴보러 나갔다. 길 양쪽의 집들이 아직도 타고 있어, 열기와 연기에 길을 걷기가 무척 고통스러웠지만 이리저리 먼 길을 돌고 돌아 겨우겨우 우리 집이 있는 동네에 갈 수 있었다. 남아 있다면 얼마나 좋을까. 아니, 절대로 그런 일은 없어. 희망을 가져선 안 돼, 하고 마음속으로 타일렀지만, 그래도 혹시나, 만에 하나를 바라는 마음이 어쩔 수 없이 고개를 치켜들었다. 우리 집의 검은색 판자 울타리가 보였다.

아, 남아 있다.

그러나, 판자 울타리뿐이었다. 안쪽의 집은 모조리 다 타버렸다. 불탄 자리에서 처제가 얼굴이 새까매진 채로 울고 있다.

"형부, 애들은요?"

"무사해."

"어디 있어요?"

"학교에."

"주먹밥 있어요. 그냥 정신없이 걸어서 음식을 받아 왔어요."

"고마워."

"힘내요. 저기, 그거, 땅속에 파묻어놓은 거요, 그건 그럭저럭 괜찮을 거예요. 그것만 있으면 당분간은 불편함 없이 살 수 있어요."

"좀 더 묻어둘 걸 그랬어."

"괜찮아요. 그것만 있으면 앞으로 어디서 신세를 진다 해도 꿀릴 거 없어요. 아주 잘했어요. 난 이제 먹을 거 갖고 학교에 갔다 올 테니까 형부는 여기서 쉬고 계세요. 여기, 주먹밥. 많이 드세요."

스물일고여덟의 여자가 마흔의 남자, 아니 그보다 더한 노련함을 지녔다. 너무도 믿음직스럽고 침착했다. 서른일곱이 되어도 참으로 못난 형부는 판자 울타리 일부를 떼어 내 뒷밭에 깔고 그 위에 털썩 양반다리를 하고 앉아, 처제가 놓고 간 주먹밥을 덥석 베어 물었다. 아무런 능력도 대책도 없다. 그러나 나는 바보라 해야 할지, 태평이라 해야 할지, 우리 가족이 앞으로 살아갈 일에 대해서는 거의 아무런 생각이 없다. 오로지 걱정되는 건, 딸아이의 눈병뿐이었다. 앞으로 대체 어떻게 치료해야 좋을까.

이윽고 아내가 작은아이를 업고, 처제가 큰아이 손을 끌고 불탄 집으로 돌아왔다.

"걸어서 왔어?"

하고 나는 고개를 숙인 딸아이에게 물었다.

"응" 하고 고개를 끄덕인다.

"그래, 참 잘했네. 용케 여기까지 걸어왔네. 집은 다 타버렸어."

"응" 하고 고개를 끄덕인다.

"병원도 다 탔을 텐데, 이 아이 눈이 큰일이야."

하고 나는 아내에게 말했다.

"오늘 아침 씻겨주긴 했는데."

"어디서?"

"학교로 의사가 출장을 왔더라고요."

"아, 그거 다행이네."

"아니, 근데 간호사가 그냥 명목상 하는 것 같이……."

"그랬나."

그날은 고후시 교외에 있는 처제의 학교 친구네 집에 묵기로 했다. 불탄 구멍에서 파낸 음식과 식기들을 다 같이 그 집으로 옮겼다. 나는 웃으면서 바지 호주머니에서 회중시계를 꺼내며 말했다.

"이게 남아 있었네. 책상 위에 있어서 집을 나올 때 호주머니 안에 넣고 달렸지."

그건 해군에 있는 처남의 시계였지만, 내가 전부터 빌려서 내 책상 위에 놓아두고 있던 것이다.

"잘됐네" 하고 처제도 웃으며 "형부가 큰일을 했네. 덕분에 십 재산이 하나 늘었어요."

"그렇지?" 하고 나는 조금 의기양양해져 "시계가 없으면 왠지 불편하니까. 이거 봐, 시계야" 하고 딸아이의 손에 그 회중시계를 쥐여주며 말했다. "귀에 대봐, 째깍째깍 소리 나지? 이대로 눈이 안 보이는 아이의 장난감도 돼."

아이는 시계를 귀에 대고 고개를 갸우뚱한 채 가만히 있더니, 조금 있다 툭 떨어뜨렸다. 쨍그랑 맑은 소리가 나면서 유리가 산산이 깨졌다. 이제 수선할 방법도 없다. 시계 유리 같은 건, 어디에도 팔지 않는다.

"뭐야, 이제 끝인가."

나는 힘이 빠졌다.

"바보같이" 하고 처제는 나지막이 혼잣말을 했지만, 유일하다고 해도 될 정도의 재산을 순식간에 잃어버린 것에 그다지 신경 쓰지는 않는 것 같아서 나는 살짝 마음이 놓였다.

그 집의 뜰 한구석에서 밥을 짓고, 그날 저녁, 다다미 여섯 장짜리 방 하나에 다들 일찍 자기로 했는데, 아내도 처제도 너무 지쳐 좀처럼 잠을 이루지 못하는지, 뭔가 앞으로 살길에 대해 소곤소곤 의논하고 있다.

"걱정할 것 없어. 다 같이 내가 태어난 고향으로 가는 거야. 어떻게든 될 거야."

아내도 처제도 말이 없었다. 내가 말하는 어떤 의견도, 이 두 사람에게는 전부터 그다지 신용을 받지 못한다. 두 사람은 각자 다른 것을 생각하고 있는 듯, 아무 대답도 하지 않는다.

"역시 아무래도 난 믿음직스럽지 않은 모양이네" 하고 나는 씁쓸히 웃으며 "하지만 부탁이니까 이번만큼은 내 말대로 해줘."

처제가 어둠 속에서 킥킥 웃었다. 그렇게 말은 하셔도, 하는 듯한 느낌이다. 그러고는 또다시 다른 일에 대해 아내와 쏙닥쏙닥 의논을 시작한다.

"그럼 뭐 맘대로 해" 하고 나도 웃으면서 말하고, "아무래도 난 신용이 없어서 큰일이야."

"그야 그렇죠" 하고 아내가 불쑥 정색한 듯한 말투로

"당신은 늘 진짜인지 농담인지 알 수가 없는 비상식적인 말만 하니까요. 신용이 없는 건 당연해요. 이렇게 돼도 또 분명 술만 생각하고 있을 테니까."

"설마 그 정도는 아니겠지."

"그래도 오늘 밤에도 술이 있었으면 마시겠죠?"

"그야, 마실, 수도 있지."

아무튼 이 집에도 더 이상 신세를 질 수는 없다, 내일 또 다른 집을 찾아보자, 하는 걸로 두 사람의 의논이 끝난 모양으로, 이튿날, 구멍에서 꺼내온 물건들을 큰 짐수레에 싣고 처제의 지인 집으로 갔다. 그 집은 꽤 넓고, 쉰 살쯤 되는 주인은 꽤 인격자처럼 보였다. 우리는 안쪽의 다다미 열 장짜리 방을 빌릴 수 있었다. 병원도 발견했다.

현립 병원이 불에 타, 교외의 어느 불타고 남은 건물로 이전해왔다는 이야기를 그 집 부인이 말해줘서, 나와 아내는 아이를 하나씩 업고 바로 집을 나섰다. 뽕나무밭 사이를 지나 지름길로 10분 만에 갈 수 있는 산기슭에 그 임시 현립 병원이 있었다.

안과 의사는 여의사였다.

"이 아이가 눈이 전혀 안 떠져서 큰일입니다. 시골로 내려갈까 생각하고 있는데, 긴 기차 여행 동안 나빠지면 안 되는 상태라 정말 큰일입니다."

나는 땀을 닦으며 쉴 새 없이 증상을 설명하고, 의사의 사소한 치료라도 간절히 바랐다.

의사는 가볍게,

“뭐, 곧 눈이 떠질 거예요” 하고 말했다.

“그렇습니까?”

“안구는 아무 문제없으니까, 뭐, 앞으로 사오일쯤 병원에 다니면 여행도 가능하실 거예요.”

“주사 같은 건” 하고 아내가 옆에서 끼어들며 “없나요?”

“있기는 있는데요.”

“꼭 좀 부탁드립니다” 하고 아내는 정중히 인사를 했다.

주사 효과가 있었는지 어땠는지, 혹은 자연스럽게 나을 때가 되었는지, 그 병원에 다닌 지 이틀째 오후에 눈이 떠졌다.

나는 그저 정신없이, 잘됐다 잘됐다를 연발하며, 곧바로 집이 불탄 자리를 보여주러 데리고 갔다.

“이것 좀 봐, 집이 다 타버렸지?”

“아아, 다 탔구나.” 아이는 미소를 짓고 있다.

“토끼도, 신발도, 오타기리 씨네 집도, 지노 씨네 집도, 전부 다 타버렸어.”

“아아, 전부 다 타버렸네” 하며 여전히 미소를 짓고 있다.

찾는 사람

이《도호쿠 문학》이라는 잡지의 귀중한 지면 한쪽을 조금 빌려서 말씀드립니다. 왜 하필 이《도호쿠 문학》이라는 잡지의 지면을 빌리려는가 하면, 거기에는 다음과 같은 이유가 있습니다.

이《도호쿠 문학》이라는 잡지는 아시다시피, 센다이의《가호쿠 신보사》에서 발행되기 때문에, 간토, 간사이, 시코쿠, 규슈의 상점에서도 당연히 볼 수 있겠지만, 그래도 이 잡지의 주된 독자는 역시 도호쿠 지방, 그것도 센다이 부근에 가장 많을 것이라 짐작됩니다.

저는 그러리라 믿으며, 이《도호쿠 문학》이라는 문학잡지의 한구석을 빌려 말씀드리고 싶은 것이 있습니다.

사실은 만나고 싶은 사람이 있습니다. 이름도, 주소도 모르지만, 분명 센다이 시 혹은 그 부근에 사는 분이 아닐까 생각합니다. 여자입니다.

센다이 시에서 발행되는《도호쿠 문학》이라는 잡지 한 구석에 내가 이런 변변찮은 수기를 싣겠다고 생각한 것도 그 사람이 센다이 시, 아니면 그 지역 가까이에 살고 있을 것만 같아서, 어쩌면 나의 이 수기가 그 사람의 눈에 띄지는 않을까, 아니, 그 사람의 눈에는 띄지 않는다 하더라도, 그 사람을 아는 분이 읽고, 그 사람에게 전해주지는 않을까, 만에 하나 그런 요행이, …… 아니, 아니, 그건 무리지, 그런 일은 있을 수 없어, 아니, 아니, 무리라는 건 충분히 알지만, 그렇지만 나로서는 그런 있을 수 없는 일이라도 기대하며 쓸 수밖에 없는 심정입니다.

"아가씨. 그때는 아가씨 덕분에 살았습니다. 그때의 거지가, 저입니다."

이 말이 그 여자의 귀에 닿지 않는다는 것, 그것은 마치 용사 한 명을 애도하기 위해 비행기를 타고, 그 용사가 잠들어 있는 전장의 상공에서 한 송이 꽃을 떨어뜨렸는데, 그 용사의 뼈가 묻힌 곳에는 떨어지지 않고, 엉뚱하게 저편 숲에 사는 독수리 둥지에 털썩 떨어져 쓸데없이 새끼를 놀라게 하거나, 또는 허무하게 바다를 떠돌게 되는 것과 마찬가지입니다. 결국 그 사람에게 가 닿는지 아닌지는 중요하지 않고, 이렇게 신문에 글을 쓰는 사람이나 꽃다발을 떨어뜨리는 사람의 기분만 풀린다면 그걸로 된 것이라는, 참으로 염치없는 속셈 같다는 생각도 들지만, 그래도 역시 나는 말하고 싶습니다.

"아가씨. 그때는 아가씨 덕분에 살았습니다. 그때의 거지가, 저입니다" 라고.

1945년 7월 말, 우리 가족 네 명은 우에노에서 기차를 탔습니다. 우리는 도쿄에서 재난을 당해 고후로 피난했지만, 그 고후 집도 몽땅 불에 타버렸습니다. 그래도 전쟁은 여전히 계속된다고 하니, 어차피 죽는다면, 고향에서 죽는 편이 번거롭지 않아 좋겠다고 생각했습니다. 나는 아내와 다섯 살짜리 딸과 두 살짜리 아들을 데리고 고후를 출발해 그날 안에 우에노에서 아오모리로 떠나는 급행열차를 탈 생각이었지만, 공습경보가 뜨고 우에노 역에 꽉 차 있던 여행객들이 살기등등해져, 어린 아이들을 데리고 있는 우리는 부딪히고 튕기고 차여 넘어지는 등 호된 꼴을 당하는 바람에, 도저히 그 급행열차에 타지 못하고, 결국 그날은 우에노 역 개찰구 옆에서 등걸잠을 자게 되었습니다. 그날 밤은 굉장한 달밤이었습니다. 밤이 깊어졌을 때 나는 혼자서 밖으로 나가보았습니다. 그 근방도 모조리 불에 타버렸습니다. 나는 우에노 공원의 돌계단을 올라가 사이고 다카모리 동상이 있는 곳에서 아사쿠사 쪽을 바라보았습니다. 호수 바닥의 수초 무리를 보는 것 같았습니다. 이것이 도쿄의 마지막 모습이다, 15년 전 혼고의 학교에 들어간 이후, 나를 쭉 키워준 도쿄라는 도시의 마지막 모습이다, 라고 생각하니, 아무래도 평정한 기분으로 있을 수는 없었습니다. 다음날 어떻게든 우에노 역에서 가장 빨리 떠나는 기차, 그게 어디로 가는 기차든 상관없이, 5리든 6리든 북쪽으로 가는 기차가 있으면 그걸 타기로 하고, 가장 일찍 우에노 역을 출발하는 새벽 5시 10분 발 시라카와 행 기차를 탔습니다. 시라카와에는 금방 도착했습니다. 우리는 거기서 내려 이번에는 시라카와에서 5리든 6리든 또 북쪽으로 가는 기차를 타기로 했습니다. 오후 1시 반에 고고타 행 기차가 시라카와 역으로 들어와, 부모자식 넷이 그 열차의 창문으로 기어들어갔습니다. 먼저 탄 기차와 달리 이번 기차는 굉장히 붐볐습니다. 게다가 지독한 더위로 아내의 풀어헤쳐진 앞가슴에 안겨 있는 두 살짜리 아들아이가 내내 훌쩍거리며 울었습니다. 이 작은아이는 엄마 몸의 영양이 불량해 태어났을 때부터 작고 약한 데다가, 모유가 부족해 그 후의 발육도 좋지 않아, 그저 살아서 움직이고 있다는 느낌만 듭니다. 다섯 살짜리 큰 딸아이는 몸은 비교적 튼튼했지만, 고후에서 재난을 당하기 조금 전부터 결막염을 앓아 공습 당시에는 눈이 전혀 보이지 않게 되는 바람에, 나는 아이를 업고 비처럼 퍼붓는 화염 속을 돌아다니며 불에 타고 남은 병원을 찾아 치료를 하고, 3주쯤 고후에서 우물쭈물 하는 사이에 겨우 아이의 눈이 떠졌기에 우리도 이 아이를 데리고 고후를 떠날 수 있게 된 것입니다. 그래도 역시 저녁이 되면 아이의 눈이 감겨버리고 아침에 되어도 눈이 떠지지 않았는데, 의사에게 받아온 붕산수로 아이의 눈을 씻기고 안약을 넣어주면, 조금 있다가 눈이 떠지고는 했습니다. 그날 아침, 우에노 역에서 기차를 탈 때도, 아이의 눈이 도무지 떠지지 않아서 내가 손가락으로 억지로 벌렸더니 피가 뚝뚝 흘렀습니다.

말하자면, 우리 일행은 지저분한 셔츠에 색 바랜 감색 무명 바지에, 아무렇게나 맨 각반에 작업화를 신고, 덥수룩한 머리에 모자도 쓰지 않은 아버지와, 머리는 헝클어지고 얼굴 여기저기에 검댕이 묻고, 추레하기 짝이 없는 작업바지를 입고 앞가슴을 풀어헤친 어머니와, 눈병이 난 딸아이, 그리고 비쩍 말라 울어대는 아들아이로, 그야말로 거지 가족이 틀림없었습니다.

아들아이는 끊임없이 훌쩍훌쩍 우는데, 그 입에 아내

가 젖을 물려도, 젖이 아예 나오지 않는 걸 알기에 얼굴을 돌리고 몸을 뒤로 젖혀 더 세차게 울어댑니다. 근처에 서 있던, 역시 아이를 데리고 있는 여자가 보다 못했던지,

"젖이 안 나오나요?"

하고 아내에게 말을 걸었습니다.

"잠깐만 제가 안아볼게요. 전 그래도 젖이 많이 나와서요."

아내는 울어대는 아이를 그 아주머니에게 안겨주었습니다. 그 아주머니의 가슴에서 젖이 잘 나오는 모양인지 아이는 금세 울음을 그쳤습니다.

"아유, 얌전한 아기네요. 젖 무는 것도 점잖고."

"아니에요. 몸이 약해요."

하고 아내가 말하자, 그 아주머니도 쓸쓸해 보이는 얼굴로 살짝 웃더니,

"우리 아기는 젖을 거칠게 쭉쭉 빨아서 아픈데, 이 아기는, 음, 조심조심하는 걸까."

약한 아이는 엄마가 아닌 사람의 젖을 물고 잠이 들었습니다.

기차가 고리야마 역에 도착했습니다. 역은 조금 전에 폭격을 맞았는지 화약 냄새 같은 것도 느껴질 정도였고, 무너진 역 건물에서 노란색 먼지가 풀풀 날아다니고 있었습

니다.

마침 도호쿠 지방이 공습을 엄청나게 받고 있던 무렵으로, 센다이는 이미 절반이 불에 타고, 우리가 우에노 역 콘크리트 위에서 뒹굴며 자고 있던 밤에는 아오모리 시에 소이탄 공격이 있었던지 기차가 북쪽으로 가는 동안 여기도 불탔다, 저기도 불탔다, 하는 소문이 귀에 들어오고, 특히 아오모리 지방은 피해가 심한지 아오모리 현의 교통이 전부 불통이라는 식의 허풍을 진지한 투로 말하는 사람도 있어, 언제쯤에야 쓰가루 끝의 고향에 도착할지 완전히 암담한 기분이었습니다.

후쿠시마를 지났을 무렵부터 객차는 조금 한산해져, 우리도 겨우 자리에 앉을 수 있게 되었습니다. 휴우 한숨을 돌리자 이번에는 먹을거리가 불안해졌습니다. 주먹밥을 사흘 치 준비해왔지만, 지독한 더위에 밥알이 낫토처럼 끈적끈적해져 입에 넣고 씹는데 쩍쩍 들러붙어 도저히 삼킬 수도 없는 지경이 되었습니다. 아들아이에게는 분유를 타서 주는데, 분유는 따뜻한 물이 아니면 잘 녹지 않아 도중에 어느 역에 잠시 내려 역장에게 사정을 말하고 따뜻한 물을 얻어 우유를 준비하기로 하고, 기차 안에서는 부드러운 찐빵을 조금씩 먹이고 있었습니다. 그런데 그 찐빵도 벌써 겉이 찐득찐득해져 전부 버릴 수밖에 없었습니다. 이제 먹을 거라고는 볶은 콩뿐이었습니다. 조금 가져온 쌀은 어디 도중에 내려 여관에서 밥과 바꿀 때 도움이 될지도 모르지만, 오늘 당장, 지금 먹을 것이 떨어져버렸습니다.

아버지와 어머니는 볶은 콩을 씹고 물을 마셔도 하루 이틀은 버틸 수 있지만, 다섯 살 딸과 두 살 아들은 차마 눈 뜨고 볼 수 없어질 게 분명합니다. 아들아이는 조금 전 얻어먹은 젖 덕분에 꾸벅꾸벅 잠이 들었지만, 딸아이는 이제 볶은 콩도 질렸는지 옆 사람이 도시락을 먹는 모습을 가만히 노려보기도 하면서 슬슬 비참해지고 있습니다.

아아, 인간은 음식을 먹지 않으면 살 수 없다니, 이 얼마나 초라한 일인가요. "여보, 전쟁이 더 격렬해져 주먹밥 하나를 서로 빼앗지 않고는 살아갈 수 없게 된다면, 난 더 이상 살지 않을 거야. 주먹밥 쟁탈전에 참가할 권리는 포기할 생각이니까. 안타깝지만, 당신도 그때는 애들과 함께 죽을 각오를 하는 거야. 그게 지금, 내 유일한, 최소한의 프라이드니까" 하고 전부터 아내에게 선언했지만, 바로 '그때'가 지금 찾아온 것 같았습니다.

창밖의 풍경을 그저 멍하니 바라보고만 있을 뿐, 나는 딱히 좋은 생각이 떠오르지 않았습니다. 어느 작은 역에서, 복숭아와 토마토가 가득한 바구니를 들고 올라탄 아주머니가 있었습니다.

순식간에 그 아주머니를 승객들이 둘러싸고, 뭔가 소곤소곤 속삭이고 있습니다. "안 돼요" 하고 아주머니는 성미가 드센 사람인 듯, 새된 목소리로 물리치며 "파는 물건이 아니에요. 비켜주세요, 갈 수가 없잖아요!" 하며 인파를 헤치고 똑바로 내가 있는 곳으로 오더니 내 옆에 앉았습니다. 그때, 내 기분은 묘했습니다. 나는 나 자신을, 여자의 심리를 훤히 꿰뚫고 있는 일종의 색마가 아닐까, 착각하며 망측한 생각을 했습니다. 누더기의 거지꼴로 애를 둘씩이나 데리고 있는 색마는 없겠지만, 그래도 내게는 희미한 심리적 줄다리기가 있었던 것입니다. 다른 승객이 그 과일 바구니에 눈독을 들이고 모여들어 소동을 벌이는 동안에도, 나는 거기에는 전혀 흥미가 없다는 듯이 창밖의 풍경을 멍하니 바라보고 있었습니다. 속으로는 나야말로 누구보다도 바구니의 내용물에 가장 관심을 가진 게 분명했지만, 그래도 나는 꾹 참고 그쪽으로는 눈길 한 번 주지 않았습니다. 그게 성공했는지도 모른다고 생각하니, 왠지 내가 의외로 여성 특유의 재능을 가진 남자 같은 기분이 들어 찜찜한 느낌이 들었습니다.

"어디까지 가요?"

아주머니는 덤벙대는 말투로 앞자리에 앉아 있는 아내

에게 말을 겁니다.

"아오모리에서 더 들어간 곳이에요."

하고 아내는 무뚝뚝하게 대답합니다.

"그거 힘들겠네요. 역시 피난 온 거예요?"

"예."

아내는 도대체가 말이 없는 여자입니다.

"어디서요?"

"고후에서."

"아이가 있으면 정말로 성가셔요. 먹을래요?"

복숭아와 토마토를 열 개쯤 잽싸게 아내의 무릎 위에 얹어주고는,

"감춰요. 딴 녀석들이 시끄러우니까."

그 말대로, 커다란 지폐를 한 손에 쥐고 슬며시 내보이며, "몇 개든 괜찮소, 파시오" 하고 속삭이며 다가오는 남자가 나타났습니다.

"시끄러워요."

아주머니는 얼굴을 찌푸리며,

"파는 거 아니에요."

하고 소리치며 뿌리칩니다.

그런데 아내가 괜한 행동을 했습니다. 갑자기 돈을, 그 아주머니에게 쥐여주려고 한 것입니다. 순식간에,

이게 무슨!

안 돼요!

아니에요!

여기요!

됐다니까요!

하면서 거의 말인지 뭔지도 모를 작은 외침이 두 사람의 입에서 번갈아 가며 불꽃처럼 파파팍 튀어나오고, 그러는 사이에, 눈으로는 따라잡지 못할 속도로 돈이 이리 왔다 저리 갔다 하는 것이었습니다.

사람의 도리!

분명, 아주머니의 입에서 그런 말도 튀어나왔습니다.

"그건 실례야."

하고 나는 낮은 목소리로 아내를 나무랐습니다.

이렇게 글로 쓰니까 길어 보이지만, 아내가 돈을 꺼내고, 불꽃이 파파팍 튀고, 그다음에 내가 중재하고, 그러고 나서 아내가 마지못해 돈을 도로 집어넣을 때까지 5초도 걸리지 않았을 것입니다. 실로 전광석화처럼 순식간에 벌어진 일이었습니다.

내 관찰에 따르면, 그 아주머니가 "파는 거 아니에요"라고 말은 했지만, 그건 기차 안에서는 팔고 싶지 않다는 것일 뿐, 역시 장사하는 사람이 분명했습니다. 자기 집에 가져가 그걸 누군가에게 넘겨주는지 어떤지 거기까지는 모르겠지만, 어쨌든 '파는 물건'임에는 틀림없는 것 같았습니다. 하지만 이미 '사람의 도리'라는 갸륵한 말이 나온 이상, 우리는 그 아주머니를 장사꾼으로 대할 수는 없었습니다.

사람의 도리.

물론, 아주머니의 그 마음을, 감사히, 기쁘게 생각하지 않을 수는 없지만, 또한 마음 밑바닥에서 할 말을 잃은 듯한 기분도 조금 들었습니다.

사람의 도리.

나는 감사의 말을 찾을 수가 없었습니다. 생각 끝에, 내가 지금 갖고 있는 것 중에 가장 소중한 것을, 이 아주머니에게 드리기로 했습니다. 나는 아직 담배가 스무 개비쯤 있었습니다. 그중에 열 개비를, 나는 아주머니에게 드렸습니다.

아주머니는 돈이 왔다 갔다 할 때만큼 세차게 거절하지는 않았습니다. 나는 그제야 마음이 놓였습니다. 그 아주머니는 센다이 조금 못 가 작은 역에서 내렸는데, 아주머니가 가고 나서 나는 아내에게 쓴웃음을 지으며,

"사람의 도리에는 놀랐어."

하고 은인을 놀리는 듯한 말을 나지막하게 건넸습니다.

거지가 부리는 억지일까요, 허세일까요. 미국의 오징어 통조림 맛을 쑥덕쑥덕 평가하고 있는 것과 비슷한 심리였습니다. 참으로 구제 불능입니다.

우리의 계획은 어쨌든 이 기차로 종점인 고고타까지 가는 것인데, 거기서 도호쿠 본선을 타면 아오모리 시의 가장 아래쪽에서 하차해야 한다는 소문을 듣기도 했고, 또 그 기차가 굉장히 혼잡할 것 같아 도저히 가족 넷이 그 안에 끼어 올라탈 자신도 없었기에, 방향을 바꾸어 고고타에서 바다 쪽으로 빠져, 즉 고고타에서 리쿠선(線)으로 갈아타고 야마가타 현의 신조로 나와 거기서 오우선으로 갈아타고 북쪽으로 가서, 아키타를 지나 히가시노시로 역에서 내려, 거기서 고노선을 타고, 아오모리 현 뒤쪽으로 들어가 고쇼가와라 역에서 내려, 거기서 드디어 쓰가루 철도를 타고 태어난 고향인 가나기라는 마을에 도착한다는 것이었는데, 생각해보면 앞길은 구름과 연기가 끼어 있고, 무사히 간다 해도 사흘 밤낮은 넉넉히 걸릴 여정입니다. 토마토와 복숭아의 은혜를 입어, 이것으로 큰아이의 오늘 하루 식량이 생겼다고는 하지만, 작은아이가 당장이라도 눈을 떠 젖을 달라고 울어대기 시작하면, 어찌해야 좋을까요. 고고타까지는 아직 네 시간도 넘게 남아 있을 텐데요. 또 고고타에 도착해도, 밤 10시가 다 됐을 테니까, 우유를 타거나 죽을 끓일 만한 상황이 아닐 것은 분명합니다.

센다이가 불타지만 않았다면, 센다이에는 두세 명의 지인도 있으니, 도중에 내려서 어찌어찌 부탁이라도 해볼 수 있겠지만, 아시다시피 센다시 시는 이미 절반이 불타 버린 모양이라 그것도 안 되겠고, 아아, 이제 작은아이는 굶어 죽을 게 분명했습니다. 나도 서른일곱까지 살아오면서 이런저런 고생을 겪었지만, 생각해보니 시시한 37년이었군, 하는 생각이 어리석게 산산조각으로 흩어지고, 큰아이에게 복숭아 껍질을 벗겨주고 있는 사이에, 작은아이가 슬슬 눈을 뜨고 칭얼대기 시작했습니다.

"이제, 아무것도 없지?"

"응."

"찐빵이라도 있으면 좋을 텐데."

그런 나의 절망스러운 목소리에 대답이라도 하듯이,

"찐빵이라면, 저기, 저한테, ……"

하는 신비로운 울림이 하늘에서 들려왔습니다.

과장이 아닙니다. 분명, 내 머리 위에서 들린 것입니다. 고개를 들어보니, 그때까지 내 뒤에 서 있었던 것 같은 젊은 여자가 막 팔을 뻗어 선반 위의 흰 천 가방을 내리려는 참이었습니다. 찐빵을 잔뜩 싼 갈색 종이 꾸러미가 내 무릎 위에 놓였습니다. 나는 가만히 있었습니다.

"저기, 점심때 만든 거니까 괜찮을 거예요. 그리고 …… 이건, 팥밥이에요. 또 …… 이건, 계란이고요."

차례차례, 종이 꾸러미가 내 무릎 위에 쌓였습니다. 나는 아무 말도 할 수가 없어, 그저 멍하니, 창밖을 바라보고 있었습니다. 저녁놀에 비쳐 숲이 새빨갛게 불타고 있었습니다. 기차가 섰고, 그곳은 센다이 역이었습니다.

"그만 가볼게요. 꼬마 아가씨, 안녕."

여자는 그렇게 말하고, 내 쪽의 창문으로 훌쩍 내려서 갔습니다.

나도 아내도, 말 한마디고 뭐고 감사 인사를 할 틈도 없었습니다.

그 사람을, 그 여자를, 나는 만나고 싶은 것입니다. 나이는 스무 살 안팎. 그때 옷은 흰색 반소매 셔츠에 감색 무명 작업바지를 입고 있었습니다.

만나서, 나는 말하고 싶습니다. 일종의 미움을 담아서 말하고 싶습니다.

"아가씨. 그때는 아가씨 덕분에 살았습니다. 그때의 거지가, 저입니다" 라고.

6월 19일

아무 준비도 없이 원고지 앞에 앉았다. 이런 걸 진짜 수필이라고 하는지도 모르겠다. 오늘은 6월 19일이다. 맑은 하늘이다. 내가 태어난 날은 1909년 6월 19일이다. 나는 어렸을 때 이상하게 비뚤어져서, 내가 부모님의 친아들이 아니라고 생각한 적이 있다. 형제 중에서 나 혼자만 따돌림을 받고 있는 것 같은 기분이 들었다. 외모가 못생겨서 가족들에게 이러쿵저러쿵 말을 들었는데, 그래서 점점 더 비뚤어졌는지도 모르겠다. 창고에 들어가 이것저것 문서를 살펴본 적이 있다. 아무것도 찾지 못했다. 옛날부터 우리 집에 드나드는 사람들에게 몰래 묻고 다닌 적도 있다. 그들은 크게 웃었다. 내가 이 집에서 태어난 날을, 다들 정확히 알고 있는 것이다. 해 질 무렵이었어요. 저기, 저 작은 방에서 태어났지요. 모기장 안에서 태어났어요. 정말 순산이었지요. 쑤욱 태어났어요. 코가 큰 아기였어요. 여러 가지를 분명하게 가르쳐주니까, 나도 내 의심을 단념할 수밖에 없었다. 왠지, 실망스러웠다. 평범한 나 자신의 신상이 불만스러웠다.

며칠 전, 모르는 시인에게서 편지를 받았다. 그 사람도 1909년 6월 19일에 태어났다는 것이다. 그것을 인연으로 하룻밤 한잔하지 않겠나, 하는 편지였다. 나는 답장을 보냈다. "저는 보잘것없는 남자라서, 만나면 분명 실망하실 것입니다. 어쩐지 두렵습니다. 1909년 6월 19일에 태어난 숙명을, 귀하께서도 아시리라 생각합니다. 아무쪼록 제 소심함을 용서해주십시오." 비교적 솔직하게 썼다고 생각했다.

같은 운명

나와 같은 해, 같은 달, 같은 날에 태어난 사람에게 무관심할 수 있을까.

나는 1909년 6월 19일에 태어났는데, 《송어》라는 잡지의 편집을 하고 계시는 미야자키 유즈루 씨도 똑같이 1909년 6월 19일에 태어났다고 한다.

7, 8년도 더 전의 일이지만, 나는 미야자키 씨로부터 편지를 받았다. 거기에는 대략 아래와 같은 내용이 쓰여 있었던 것으로 기억한다.

《문예연감》을 통해, 당신이 1909년 6월 19일에 태어났다는 것을 알았다. 참으로 기괴한 느낌이 들었다. 사실은 나도 1909년 6월 19일에 태어났다. 이 묘한 일치를 지금

껏 모르고 있었다는 것이 유감이다. 한잔하자. 당신이 편한 시간을 알려 달라. 나는 시인이다.

그런 내용의 편지를 받고, 나는 묘한 꿈을 꾸는 듯한 기분이 들었다.

단언해도 좋다고 생각하지만, 1909년에 태어난 사람 중에, 행복한 사람은 단 한 사람도 없다. 견딜 수 없는 운명이다. 게다가 6월, 게다가 19일.

죄는 태어난 시각에 있다.

나 자신의 견딜 수 없음을, 나는 내가 태어난 시각 탓으로 돌린 적도 있다.

그 두려워해야 할 날에, 아니 '두려워해야 할'이라니, 고작 그런 흔해빠진 형용으로 가볍게 끝낼 수 있는 것이 아니라, 거울 두 개를 맞대어놓고 그 안에 비친 상(像)의 수를 헤아리는 것 같은 그런 절망 비슷한, 불쾌하고 곤란한 형용사가 필요하겠지만, 어쨌든 바로 그날에 태어난 시인과 함께 술을 마신다는 것이 나는 몹시 망설여졌다.

하지만 결과는 청량했다. 만나보니, 미야자키 유즈류 씨는 내가 아는 사람 중에 가장 때 묻지 않은 사람이었다. '때 묻지 않은', 이런 형용 역시 몹시 거슬리지만, '성실한', 이라고 바꿔보아도 거슬리는 건 마찬가지이다.

어쨌든 나는, 미야자키 씨를 만나, 구원을 받은 것이다.

‘구원을 받은’, 이런 말도 참으로 가볍지만, 나는 미야자키 씨가 무사하기를 진심으로 빌고 있다, 라고 말하는 것밖에 달리 방법이 없다.

무탈하십시오, 하고 천 번 만 번의 (이런 말도 정말 거슬리지만) 기도를 담아 미야자키 씨에게 말하고 싶다.

이번에 잡지를 내신다는데, 지금까지의, 지금까지의 당신 모습 그대로, 살아주십시오. 후략.

1946년 9월 8일.

미야자키 유즈루는 시인으로 다자이와 같은 해, 같은 날에 태어난 것을 계기로 다자이와 인연을 맺었다. 다자이는 처음에 만남을 거절했지만, 미야자키의 시집 《죽창대》의 서문을 부탁받아 쓰게 되면서 만나게 되었고, 그 후로 오랫동안 우정을 이어갔다. 〈6월 19일〉과 〈같은 운명〉은 그와의 인연에 대해 쓴 수필이다.

3장

나는 북쪽 나라 눈밭 위에 내려앉고
너는 남쪽 나라 귤밭 위에 내려앉고

멋쟁이 아이

어릴 때부터 멋을 부렸던 것 같습니다. 소학교 시절, 매년 3월 종업식 때는 꼭 학생대표로 교장 선생에게 상을 받는데, 그 상을 단상 위에서 교장 선생이 건네주면, 단상 아래에서 내가 두 손을 내밉니다. 엄숙한 순간입니다. 그 때, 이 아이는 무엇보다 먼저, 자신이 내미는 두 팔의 모양에 자신의 모든 주의를 기울입니다. 감색 무명천 기모노 안에 순백 플란넬 셔츠를 입고 있는데, 그 셔츠 소매가 기모노 소맷부리에서 3센티미터쯤 비어져 나오면, 셔츠의 흰색이 눈에 스며들어, 자신이 정말로 천사처럼 순결하게 여겨져, 혼자 넋이 나가버리는 것입니다. 종업식 전날 밤, 하카마와 나들이옷, 그리고 새로 지은 흰색 플란넬 셔츠를 머리맡에 나란히 놓고 자리에 눕지만, 좀처럼 잠이 오지 않아 두 번 세 번 머리를 치켜들고, 머리맡의 옷들을 바라보았습니다. 그때는 아직 램프를 쓰던 시절이라 방은 어두침침했지만, 그래도 플란넬 셔츠는 순백색으로 빛나며 불타오르는 것 같았습니다.

날이 밝아 종업식 날 아침, 일어나서 재빨리 셔츠를 입고, 어떨 때는 나이 든 하녀에게 비밀로 해달라며, 셔츠 소맷부리에 단추를 하나 더 달아달라고 한 적도 있습니다. 상을 받을 때, 셔츠 소매가 살짝 비어져 나와 조개 단추가 세 개 네 개 반짝반짝 빛나도록 머리를 짜낸 것입니다. 집을 나와 학교로 가는 길에서도, 몰래 두 팔을 앞으로 내밀어 상 받는 흉내를 내면서, 셔츠의 소매가 너무 길지도, 너무 짧지도 않게, 딱 적당한 정도로 비어져 나오는지 어떤지, 몇 번이고 미리 연습을 해보았습니다.

아무도 알아주지 않는, 이런 쓸쓸한 멋부림은 해가 갈수록 정도가 심해져, 동네 소학교를 졸업하고 덜컹대는 마차와 기차를 타고 10리 떨어진 현청 소재지가 있는 작은 도시의 중학교 입학시험을 치르기 위해 길을 떠났을 때, 소년의 복장은 애처롭게도 유별났습니다. 흰색 플란넬 셔츠는 어지간히 마음에 들었던지, 그때도 입고 있었습니다. 게다가 이번에는 셔츠에 나비 날개 모양 같은 커다란 깃이 달려 있어, 여름에 셔츠 깃을 양복 밖으로 꺼내 입을 때처럼, 깃을 기모노 밖으로 끄집어내, 기모노의 옷깃을 덮고 있습니다. 어쩐지, 턱받이처럼 보이기도 합니다. 하지만 소년은 슬프게 긴장하며, 자신의 모습이 귀공자처럼 보일 거라고 생각했습니다. 감색 무명 기모노에, 흰색 줄무늬의 짧은 하카마를 입고, 거기에 긴 양말, 반짝이는 검정 목구두. 그리고 망토. 아버지는 이미 돌아가시고, 어머니는 병이 들어, 소년의 옷은 전부 다정한 형수님의 정성으로 지어진 것이었습니다. 소년은 형수에게 영리하게 어리광을 피워, 셔츠 깃을 크게 만들어달라고 억지를 부렸는데, 형수가 웃으면 진지하게 화를 내며, 소년의 미학을 아무도 이해해주지 않는 것을 눈물이 날 만큼 분하게 여겼습니다. '산뜻함과 우아함.' 소년의 미학은 오로지 그것이었습니다. 아니, 아니, 살아가는 것 전부, 인생의 목적 전부가 오로지 그것이었습니다.

망토는 일부러 버튼을 채우지 않고, 자그마한 어깨에서 당장에라도 흘러내릴 듯이, 아슬아슬하게 걸치고, 그게 맵시 있는 행동이라고 믿었습니다. 어디서 그런 걸 배웠을까요. 멋쟁이의 본능이란 본보기가 없어도 저절로 생기는 것인지도 모르겠습니다.

태어나서 거의 처음으로 도시다운 도시에 발을 디뎠으

니, 소년에게는 일생일대의 가장 공들인 옷차림이었던 셈입니다. 얼마나 흥분했던지, 혼슈 북단의 작은 도시에 도착한 순간, 소년은 말투까지 변해버렸을 정도입니다. 예전에 소년 잡지에서 배운 도쿄 말을 쓴 것입니다. 하지만 하숙집에 살면서, 그 하숙집 하녀들의 말을 듣고 있으니, 거기도 역시 소년이 태어난 고향과 똑같이 쓰가루 사투리를 쓰는 바람에, 소년은 살짝 김이 샜습니다. 소년이 태어난 고향과 그 작은 도시는 10리도 떨어져 있지 않았던 것입니다.

중학교에 들어가니, 교칙이 엄격한 학교라 멋부리기가 너무 힘들어, 될 대로 되라는 마음에, 잠들 때 이불 밑에 바지를 넣어 주름잡는 것도 게을리하고, 구두도 닦지 않고, 주머니를 덜렁덜렁 매단 채, 일부러 새우등처럼 구부정하게 걸었습니다. 그때의 새우등 걸음걸이가 버릇이 되어, 15년이 지난 지금도 고쳐지지 않습니다. 그 시절은 멋쟁이의 암흑시대라고 할 수 있겠네요.

그 작은 도시에서 또 10리 떨어진 어느 고등학교에 들어간 후로는, 소년의 멋부리기도 부쩍부쩍 발전했습니다. 너무 발전한 나머지, 역시나 유별난 것이 되었습니다. 코트를 세 벌 만들었습니다. 땅에 질질 끌릴 정도로 길게 만들었습니다. 소년도 그 무렵은, 키가 훌쩍 자라 170센티미터 가까이 되었기 때문에, 그 코트는 악마의 날개처럼 대단히 효과가 있었습니다. 그 코트를 입을 때는, 학생모를 쓰지 않았습니다. 마법사에게, 흰색 줄이 쳐진 모자는 어울리지 않는다고 생각했는지 모릅니다. '오페라의 괴물'이라는 별명을 친구들이 지어줘 얼굴을 찌푸렸지만, 내심 그리 싫지도 않았습니다.

또 다른 코트 하나는 영국의 왕세자가 해군 장교 복장을 한 모습이 아름다워, 그걸 본떠서 만들었습니다. 군데군데 소년의 독창적인 생각도 가미되었습니다. 제일 먼저, 깃입니다. 크고 넓은 깃이었습니다. 무슨 이유에서인지 넓은 깃을 좋아하는 모양입니다. 그 깃에는 검정 벨벳을 붙였습니다. 더블 버튼 코트에, 금단추를 일곱 개씩 꼼꼼히 달았습니다. 마지막 단추가 달린 곳에서, 몸통을 꽉 죄면서 옷자락이 쫙 짧게 펼쳐지는데, 그곳의 리듬이 아주 경쾌해야 하기 때문에, 양복점에 세 번이나 가봉을 시켰습니다. 소매도 좁게 하고, 소맷부리에는 작은 금단추를 네 개씩 세로로 가지런히 달게 했습니다. 검은색의 약간 두꺼운 모직물이었습니다. 이건 겨울 코트로 사용했습니다. 이 외투에는 흰색 줄이 쳐진 학생모도 어울려서, 이거야말로 영국 해군 장교처럼 보이겠지, 하고 조금 자신도 있었던 것 같습니다. 흰색 캐시미어 장갑을 끼고, 엄동

설한에는 흰색 실크 숄을 목에 둘둘 감았습니다. 얼어 죽는 한이 있어도, 두툼한 털실 종류는 쓰지 않겠다는 각오를 한 것 같았습니다. 하지만 이 코트는 친구들의 웃음거리가 되었습니다. 커다란 깃을 가리키며, 턱받이 같잖아, 망했네, 대흑천* 같아, 하고 깔깔대며 웃은 친구가 한 명 있었습니다. 또, 뭐야 너였어? 순사인 줄 알았네, 하며 별 반응 없이 놀라던 친구도 있었습니다. 북방의 해군사관은 마음이 아팠습니다. 당장에, 그 코트는 없애버렸습니다. 또 하나 더, 만들었습니다. 이번에는 검정 모직 천 대신 코발트색의 서지 천을 골라 또 해군 사관 코트를 만들었습니다. 단판 승부를 내겠다는 기개였습니다. 깃 크기를 확 줄이고, 전체를 좀 더 좁고 가냘프게, 몸통 부분은 아플 만큼 꽉 졸리매, 그 코트를 입을 때면, 소년은 남몰래 셔츠를 한 장 벗어야만 했습니다. 이 코트를 보고는 누구도, 어떤 말도, 하지 않았습니다. 친구들도 웃지 않았고, 그저, 묘하게 진지한 서먹서먹한 표정으로, 곧바로 얼굴을 돌려버렸습니다. 소년은 그 번쩍일 정도의 코트를 입으면서, 고독과 쓸쓸함을 견딜 수가 없어 울상을 짓고 말았습니다. 멋쟁이이기는 해도, 마음은 나약한 소년이었습니

* 재물과 식량을 관장하는 불교의 신. 검은 두건을 쓰고 망치를 들고 쌀자루를 둘러메고 다닌다.

다. 결국 그 가슴 아픈 코트도 없애버리고, 중학교 때부터 입던 너덜너덜한 망토를 머리부터 쏙 뒤집어쓰고, 찻집에 포도주를 마시러 나가게 되었습니다.

찻집에서 포도주를 마시는 것까지는 좋았는데, 얼마 후 요릿집으로 어슬렁어슬렁 들어가 게이샤와 함께 밥을 먹게 되었습니다. 소년은 그걸 딱히 나쁜 일이라고도 생각하지 않았습니다. 세상 물정에 훤하고 불량스러운 행동이 가장 고상한 취향이라고 늘 믿었습니다. 그 지역의 오래되고 조용한 요릿집에 두 번 세 번 밥을 먹으러 가는 동안, 소년의 멋부리기 본능이 또 불쑥 고개를 치켜들어, 이번에는 그야말로 굉장한 일이 벌어졌습니다. 연극《메구미의 싸움》에 나오는 노가다 작업복 차림으로, 요릿집 안뜰에 면한 방에서 양반다리를 하고 앉아, 오오, 아가씨, 오늘은 특히나 아름답군, 따위의 말을 하고 싶어서, 두근거리는 마음으로 그 복장을 준비하기 시작했습니다. 감색 하라가케*. 그건 금방 손에 넣을 수 있었습니다. 그 작업복 앞주머니에 고풍스러운 지갑을 넣고, 팔짱을 끼고 걸으면, 제법 불량배처럼 보입니다. 굵은 허리띠도 샀습니다. 졸라매면, 뿌지직 소리가 나는 하카타 허리띠입니다. 줄

* 작업 인부들이 입는 길이가 짧고 몸에 딱 달라붙는 앞치마 모양의 감색 작업복. 배 부분에 연장을 집어넣는 커다란 주머니가 달려 있다.

무늬 무명 홑옷 하나를 포목점에 부탁해 준비해놓았습니다. 노가다인지, 노름꾼인지, 가게 점원인지, 뭔지 모를 복장이 되었습니다. 통일감이 없습니다. 어쨌든 연극에 나오는 인물 같은 인상을 주는 복장이라면, 소년은 그것으로 만족했습니다.

초여름, 소년은 맨발에 삼베 샌들을 신었습니다. 거기까지는 좋았는데, 문득 소년은 묘한 생각을 떠올렸습니다. 모모히키였습니다. 감색 무명천의, 다리에 짝 달라붙는 작업바지, 연극 무대에서 인부들이 입었던 바지, 그걸 입고 싶었습니다. 멍청한 놈, 하고 휘릭 옷자락을 걷어붙이며, 엉덩이를 홱 깔 때 입었던 그 감색 작업바지가 눈에 사무쳤습니다. 속바지 하나만으로는 성에 차지 않습니다. 소년은 그 작업바지를 사러 마을 끝에서 끝까지 돌아나녔습니다. 어디에도 없습니다. 그거 말이에요, 그거, 노가다 하는 사람이 입는 거요, 다리에 짝 달라붙는 작업바지요, 그런 거 없어요? 하고 열심히 설명하며 포목점이며 버선가게에 물으며 돌아다녔지만, 으음, 그런 건 지금, 하고 가게 직원들이 웃으며 고개를 저었습니다. 벌써 꽤 더워져, 소년은 땀을 뻘뻘 흘리며 찾아다녔는데, 드디어 어느 가게 주인이, 우리 집엔 없지만, 골목을 돌아가면 소방 물품 전문점이 있으니까 거기 가서 물어봐, 어쩌면 알지도 몰라, 하고 고맙게도 알려주었습니다. 맞아, 소방 물품이라는 생각을 못 했네, 에도 시대 때 노가다는 불 끄는 일도 했으니까, 지금으로 말하면 소방수지, 일리가 있어, 하고 기운이 솟아, 알려준 대로 골목길 가게로 뛰어 들어갔습니다. 가게에는 크고 작은 소방 펌프가 진열되어 있었습니다. 화재 알림용 깃발도 있습니다. 왠지 불안했지만, 그래도 용기를 내어, 모모히키 있어요? 하고 물으니, 있습니다, 하며 곧바로 가져온 건 감색 작업바지는 틀림이 없었지만, 양쪽 다리에 소방 표시로 시뻘건 줄이 굵게 쳐져 있었습니다. 아무리 그래도 그걸 입고 돌아다닐 용기는 없어서, 소년은 쓸쓸히 모모히키를 포기할 수밖에 없었습니다.

자신의 복장이 뜻대로 되지 않으면, 어김없이 될 대로 되라는 식이 되는 나쁜 버릇을 이 소년은 갖고 있었습니다. 바라던 감색 작업바지를 구할 수 없게 되자, 소년의 멋쟁이 복장도 눈에 띄게 엉망이 되어갔습니다. 감색 노가다 작업복, 줄무늬 무명 홑옷에 굵은 허리띠, 삼베 샌들, 그런 차림으로, 흰색 줄이 쳐진 학생모를 쓰고 동네를 돌아다닌 것은, 도대체 어떠한 미학이 가르쳐준 행위일까요. 그런 이상한 유행은 어떤 연극에도 나오지 않습니다. 분명 소년은 될 대로 되라고 생각한 게 분명합니다.

흰색 캐시미어 장갑을 다시 끼기 시작했습니다. 줄무늬 무명옷, 굵은 허리띠, 노가다 작업복, 흰색 줄무늬 모자, 흰 장갑, 이제는 수습할 수도 없는 어수선하고 어지러운 몸치장입니다. 그런 이상한 시절이 인간의 일생 중에, 한 번은 있지 않을까요. 왠지 꼭 꿈속 같습니다. 가진 것 전부를 몸에 두르지 않으면 성에 차지 않는 것입니다. 흰색 캐시미어 장갑이 찢어져 새것을 사려고 했지만, 캐시미어는 잘 없기에, 결국 천이야 뭐가 됐든 흰색 장갑이기만 하면 된다며, 목장갑을 샀습니다. 군인들이 끼는 두툼한 갈퀴 같은 모양의 커다란 목장갑입니다. 모든 게 엉망진창이었습니다. 소년은 그런 희한한 꼴로, 요릿집에 가서, 이즈미 교카의 소설에서 외운 결말 부분을 열심히 몇 번이고 되뇌었습니다. 여사 따위는 안중에 없었습니다. 그저, 자신의 로맨틱한 태도만이 중요했습니다.

이윽고 꿈에서 깼습니다. 좌익 사상이 그 무렵 학생들을 흥분시키고, 학생들의 얼굴이 휑하니 창백해질 정도로 긴장되었습니다. 소년은 도쿄로 가서 대학에 들어갔지만, 학교 강의에는 한 번도 나가지 않고, 비 오는 날도 맑은 날도 빛바랜 레인코트를 입고, 고무장화를 신고, 어디론가 거리를 헤매고 다녔습니다. 멋쟁이의 암흑시대는, 그 후로 오랫동안 이어졌습니다. 그리고 머지않아 소년은 좌익 사상마저 배신했습니다. 비열한 인간의 낙인을 자기 스스로 이마에 찍었습니다. 멋쟁이의 암흑시대라기보다는, 마음의 암흑시대가 그 후로 10년 동안 지금까지 이어지고 있습니다. 소년도, 이제는 수염 깎은 자국이 파르스름한 어른이 되어, 남들은 데카당 소설이라고 곡해하고 있지만, 자신은 절대 그렇지 않다고 믿고 있는 슬픈 소설을 쓰면서, 아슬아슬하게 세상을 살아가고 있습니다. 작년에는 가난한 연인이 생겨, 가끔 만나러 가는데, 문득 옛날의 멋부리기 본능이 되살아났지만, 이제는 그 다정한 형수에게 부탁할 수도 없고, 마음대로 돈을 써서 옷을 마련하는 것도 도저히 불가능해졌습니다. 평상복 한 벌뿐, 그 밖에는 버선 한 짝도 없는 형편입니다. 어지간히 몰락하여, 곤궁한 모양입니다. 원래가 멋쟁이 아이인지라, 색 바랜 유카타에 찢어진 허리띠를 둘둘 말고 연인을 만나러 갈 정도라면, 차라리 죽는 게 낫다고 생각했습니다. 온갖 고민을 하다가, 결심했습니다. 옷을 빌리는 것입니다. 돈을 빌릴 때보다 옷을 빌릴 때가 열 배는 더 괴롭다는 것을 아십니까. 얼굴이 화끈거린다는 말이 있는데, 실감하게 됩니다. 게다가 옷뿐만 아니라, 허리띠도, 나막신도 빌려야 했습니다. 그리고 연인을 속이는 것입니다. 아무리 몰락해도, 로맨스의 세계로 들어가면, 그의 멋부리기 본능이 불쑥 고개를 치켜들어, 비쩍 마른 그의 가슴을 두근두근하게 하는 모양입니다. 그런 남자는 일흔이 되어도, 여든이 되어도, 역시나 화려한 격자무늬의 헌팅캡 따위를 쓰고 싶어하지 않을까요. 외면의 산뜻함과 우아함만을 현세 유일의 '목숨'으로 여기며, 남몰래 신앙하고 있는 건 아닐까요. 작년에, 그가 옷을 빌리면서까지 연인을 만나러 갔다고 했는데, 그때 그가 지은 자조 섞인 짧은 시 몇 편으로, 이 무시무시한 멋쟁이 아이의 소개문을 짧게 마무리하겠습니다.

도망자가 빌린 옷, 시원하게 잘 어울리네

이 무늬는 요즘 유행이야, 하고 빌린 옷이 말하네

이 소매 좀 놔, 하고 빌린 옷이 당황하네

빌린 옷을 입으니, 남들도 다 빌려 입은 것 같네

음미해보면, 애처로운 익살 시입니다.

옷에 대하여

아주 잠깐 남몰래 공을 들인 적이 있다. 옷에 공을 들인 것이다. 히로사키 고등학교 일학년 때다. 줄무늬 기모노에 굵은 허리띠를 매고 돌아다녔다. 그런 차림으로 기다유*를 배우러 어느 여선생 집에 다녔다. 하지만 고작 1년간의 정신 나간 짓이었다. 나는 그 옷을 분노에 차서 내던져버렸다. 딱히 고매한 동기가 있었던 건 아니다. 일학년 겨울방학 때 도쿄에 놀러 갔다가, 어느 날 밤, 나는 그 멋쟁이 옷을 차려입고 오뎅집 포렴을 휙 젖히고 들어갔다. 어이, 아가씨, 여기 따끈한 거 한 병 내주겠소. 따끈한 거,

* 에도 시대 다케모토 기다유가 창시한 것으로, 이야기에 샤미센 반주를 넣은 음악.

하고 어지간히 역겨운, 소위 멋쟁이들이 쓰는 말을 흉내내며 점잔을 떨고 있었다. 그리고 그 따끈한 걸 억지로 참고 마시며, 예전에 배워둔 도쿄의 불량스러운 말투로 잘 굴려지지도 않는 혀를 채찍질하며* 있는 대로 쏟아내다가, 뭔 소리를 지껄이는 거야, 하며 말을 끝내니, 오뎅집 아가씨가 환히 웃는 얼굴로, 오빠, 도호쿠 출신이죠? 하고 천진난만하게 말했다. 알랑거리려고 한 말인지는 모르겠지만, 나는 완전히 흥이 깨져버렸다.

나도 타고난 바보는 아니다. 그날 밤 이후로, 그 멋쟁이 옷을 분노에 차서 내던져버린 것이다. 그 후로 평범한 옷차림을 하려고 애썼다. 하지만 내 키는 170센티미터여서 (173으로 측정될 때도 있지만, 나는 믿지 않는다), 평범하게 길을 걷고 있어도 조금 눈에 띄는 모양이다. 대학 시절에도, 내 딴에는 평범한 옷차림이라고 생각하는데, 친구들은 지적질을 했다. 고무장화가, 너무나 이상하다는 것이다. 고무장화는 편리하다. 양말이 필요 없다. 버선발에 신어도, 아니면 맨발에 신어도, 남에게 들킬까 봐 걱정할 필요가 없다. 나는 주로 맨발에 신었다. 고무장화 안은 따뜻하다. 집을 나갈 때도 목구두처럼 현관에서 질질 시간 끌

* 혀를 굴리듯이 발음하는 것이 도쿄 말투의 특징 중 하나다.

며 신지 않아도 된다. 쑥, 쑥, 발을 집어넣고 그대로 바로 출발할 수 있다. 벗을 때도, 바지 호주머니에 양손을 찔러 넣은 채, 가볍게 허공을 툭 차면 쑥 빠진다. 물웅덩이도 진창길도, 아무렇지 않게 활보할 수 있다. 유용한 물건이다. 왜 그걸 신고 걸으면 안 된다는 거지? 하지만 그 친절한 친구는, 암만 봐도 그건 이상하니까, 안 신는 게 나아, 넌 날씨가 좋을 때도 신고 다니잖아, 일부러 이상한 짓을 하면서 눈길 끌려는 것처럼 보여, 하는 것이다. 다시 말해, 내가 멋을 부리려고 고무장화를 신고 걷는다고 생각하는 모양이다. 너무 심한 오해다. 나는 고등학교 일학년 때, 멋쟁이처럼 보이는 게 불가능하다는 것을 이미 통감했고, 그 후로는 의식주에 대해서는 오로지 간편하고 저렴한 것만을 사랑해왔다. 하지만 나는 키도, 얼굴도, 어쩌면 코도, 확실히 남들보다 크기 때문에, 뭘 해도 눈에 거슬리는 모양인지, 정말로 별생각 없이 헌팅캡을 써도, 친구들은, 이야, 헌팅캡이라니, 멋진 생각인데, 근데 별로 안 어울려, 이상해, 벗는 게 나아, 하고 친절하게도 충고를 하니까, 나는 어찌해야 할지 알 수가 없다. 큼직큼직하게 생긴 남자는 그만큼 남보다 곱절은 더 수행이 필요한가 보다. 나로서는 인생의 한 귀퉁이에, 조신하게 몸을 사리고 있다고 생각하는데도, 사람들은 여간해서 그렇게 생각해주지 않는다. 그래서 될 대로 되라는 식으로, 차라리 하야시 센주로 총리처럼 수염을 길게 길러볼까, 생각까지 한 적도 있지만, 그래도 지금 여기, 방 세 칸짜리 좁은 집에서 수염만 멋진 덩치 큰 남자가 어슬렁거린다는 건 너무나 기괴할 것 같으니, 그것도 단념할 수밖에 없다.

언젠가 친구가 진지한 얼굴로, 버나드 쇼가 일본에서 태어났으면 도저히 작가는 못 됐을 거야, 라고 하기에, 나도 진지하게 일본 리얼리즘의 깊이 따위를 생각하면서, 그래도 그건 결국 심경의 문제라서 말이야, 하면서 또 두세 마디 의견을 덧붙이려고 준비하고 있는데, 친구가 웃음을 터뜨리더니, 아니, 그런 말이 아니라 쇼는 키가 2미터나 되잖아, 키가 2미터인 소설가라니, 일본에선 살 수가 없지, 하고 천연덕스럽게 말했다. 나는 감쪽같이 속아 넘어간 셈인데, 그래도 나는 이 친구의 악의 없는 농담을 진심으로 웃어줄 수가 없었다. 왠지, 마음이 싸했다. 나도 한 척(尺)만 더 컸다면! 정말 아슬아슬했구나, 생각했다.

나는 고등학교 일학년 때, 일찍이 멋부리기의 덧없음을 깨닫고, 그 후로는 자포자기 심정으로 이것저것 고르지 않고 몸에 걸치며 평범한 차림으로 다녔는데도, 걸핏하면 친구들의 비평 대상이 되었고, 그 때문에 주눅이 들어 슬금슬금 옷차림에 신경을 쓰게 된 것 같다. 하지만 신경을 써도, 입는 옷마다 나의 촌스러움을 질릴 정도로 듣게 되니까, 저거 입고 싶어, 이 고풍스러운 천으로 하오리 좀 지어줘 따위의 세련된 욕망은 한 번도 가진 적이 없다. 주는 대로 잠자코 입는다. 그리고 나는 왜 그런지, 내 옷이나 셔츠, 신발에는 극단적으로 인색하다. 그런 것에 돈을 쓸 때는, 말 그대로 몸이 깎여 나가는 듯한 고통을 느낀다. 5엔을 품속에 넣고 신발을 사러 나가도, 신발 가게 앞에서 쓸데없이 우왕좌왕하며 생각이 천 갈래 만 갈래 흐트러지다가, 끝내는 작정하고 가게 옆 맥주집으로 뛰어 들어가 5엔을 몽땅 다 써버린다. 옷이나 신발은 자기 돈으로 사는 게 아니라고 생각하는 것 같다. 실제로, 나는 삼사 년 전까지는 고향의 어머니가 철철이 옷이며 그 밖의 물건을 보내주었다. 어머니는 벌써 나를 10년이나 보지 못했는데, 이제는 내가 이렇게 철들고 수염 난 남자가 되었다는 걸 모르는지, 보내주는 옷들의 무늬가 참으로 화려하다. 큼직한 무늬의 홑옷을 입고 있으면, 최하등급 스모 선수 같다. 또 복숭아꽃을 가득 물들인 잠옷을 입고 있으면 분장실에서 걱정에 떨고 있는 할아버지 역을 맡은 신파극 배우 같다. 꼴이 말이 아닌 것이다.

하지만 나는 주어진 옷을 잠자코 입자는 주의이기 때문에, 속으로는 기가 막히는 옷도 그냥 입고 울적하게 방

한가운데 책상다리를 하고 앉아 담배를 피우고 있다. 그런데 하필 그럴 때 친구가 찾아와 그런 내 꼴을 보면, 웃음을 참으려 해도 잘 안 되는 모양이다. 나는 우울하고 기분이 나빠져, 결국 일어서서 그 옷을 전당포에 맡기러 간다. 지금은 어머니에게서 옷 한 장 받지 못한다. 내 원고료로 적당한 옷을 장만해야 한다. 그런데 나는 내 옷을 사는 것에 극단적으로 인색하기 때문에, 지난 삼사 년 동안 여름옷으로 시로가스리* 한 벌과 구루메가스리** 홑옷 한 벌을 산 게 전부다. 나머지는 다 옛날에 어머니에게 받았다가 전당포에 맡겨둔 걸 필요할 때 찾아와서 입고는 했다. 예를 들어 지금, 여름부터 가을까지 입는 옷을 말하라면, 한여름에는 시로가스리 한 벌, 선선해지면 구루메가스리 홑옷과 메이센 비단옷을 번갈아 입고 외출한다.

집에 있을 때는 내내 유카타 위에 도테라 차림이다. 메이센 비단옷은 돌아가신 장인어른의 유품이다. 이걸 입고 걸으면 소맷자락에서 사각사각 소리가 나서 기분이 좋다. 그런데 이 옷을 입고 놀러 가면, 이상하게 꼭 비가 온다. 장인어른의 훈계인지도 모른다. 홍수를 맞은 적도 있다. 한 번은 이즈 남쪽. 또 한 번은 후지 요시다에서인데, 큰비

* 흰 바탕의 무명천에 잔잔한 줄무늬가 들어간 옷.

** 후쿠오카 구루메 지역에서 제조된 잔잔한 빗살무늬가 들어간 옷.

를 맞아 꽤 고생했다. 이즈 남쪽에서는 7월 초였는데, 내가 묵고 있던 작은 온천여관이 탁류에 휩쓸리는 바람에 하마터면 떠내려갈 뻔했다.

후지 요시다는 8월 말의 불놀이 축제 때였다. 그 동네에 사는 친구가 놀러 오라고 해서, 지금은 더워서 싫고, 좀 선선해지면 가겠다고 답장하니, 그 친구가, 요시다의 불놀이 축제는 1년에 딱 한 번뿐이야, 요시다는 이제 벌써 선선해서 다음 달이면 추워져, 라고 다시 편지를 보내왔는데, 몹시 화가 난 것 같아서 나는 허둥지둥 요시다로 떠났다. 집을 나설 때, 아내가, 이 옷 입으면 또 홍수를 맞을 건데요, 하고 재수 없는 소리를 했다. 왠지 불길한 예감이 들었다. 하치오지 근처까지는 아주 맑았는데, 오쓰키에서 요시다 행 전차로 갈아타니, 폭우가 쏟아졌다. 옴짝달싹도 못 할 만큼 꽉꽉 들어찬 등산객이며 관광객들이 저마다, 어떡하지, 큰일 났네, 하고 폭우에 불평을 늘어놓았다. 장인어른의 유품인, 비를 부르는 옷을 입은 나는 마치 내가 이 폭우의 장본인인 것 같아, 왠지 두려운 죄악감에 고개도 들지 못했다. 요시다에 도착해서도 장대비는 더 기세등등해져, 나는 역으로 마중 나온 친구와 함께 역 근처 요정으로 굴러 들어가듯 뛰어들었다. 친구는 내게 미안해했지만, 나는 이 폭우의 원인이 내가 입은 옷 때문인 걸 알고 있었기에 오히려 친구에게 미안한 마음이었는데도, 그건 너무나 무서운 죄여서 고백할 수가 없었다. 불놀이 축제고 뭐고, 엉망진창이 된 모양이었다. 해마다 후지산 입산 금지일에 고노하나사쿠야 히메*에게 제를 올리기 위해, 집집마다 문 앞에 3미터 높이로 장작을 쌓아 올리고, 거기에 불을 지펴 너도나도 질세라 불꽃의 맹렬함을 겨룬다고 하는데, 나는 아직 한 번도 본 적이 없다. 올해는 볼 수 있겠다고 생각해서 왔는데, 폭우 때문에 다 휩쓸려간 것이다.

우리는 그 요정에서 쓸데없이 술을 마시며 비가 그치기를 기다렸다. 밤이 되자, 바람까지 불었다. 여종업원이 덧문을 살짝 열고,

"아, 희미하게 빨갛구나" 하고 중얼거렸다. 우리도 일어서서 밖을 내다보니, 남쪽 하늘이 어렴풋이 붉었다. 이 폭풍우 속에서도 고노하나사쿠야 히메에게 제를 올리려고, 누군가 애써 봉화를 피운 것이리라. 나는 못 견디게 쓸쓸해졌다. 이 얄미운 폭풍우도 애초에 비를 부르는 내 옷 때문이다. 쓸데없이 도쿄에서 어슬렁어슬렁 찾아와, 남녀노소 할 것 없이 요시다 사람들이 손꼽아 기다리던 즐거운

* 일본 신화에 나오는 여신. 후지산의 아사마 신사는 이 여신을 모신다.

밤을 엉망진창으로 만든 비의 남자가 여기 있습니다, 하고 이 여종업원에게 살짝이라도 고백한다면, 나는 순식간에 요시다 마을 사람들에게 멍석말이를 당하겠지. 나는 엉큼하게 내 죄를 친구에게도 여종업원에게도 털어놓지 않았다. 그날 밤늦게 비가 잦아들었을 때쯤, 우리는 그 요정을 나와 연못가의 큰 여관에서 함께 묵었다. 이튿날 아침에는 쨍하게 개어, 나는 친구와 헤어져 버스를 타고 미사카 고개를 넘어 고후로 갈 생각이었다. 그런데 버스가 가와구치 호수를 지나 20분쯤 가다가 고개를 넘기 시작할 즈음, 곳곳의 무시무시한 산사태 흔적을 본 승객 열다섯 명이 옷자락을 걷어 올린 채 걸어서 고개를 넘으려고 작정하고, 삼삼오오 고개를 넘기 시작했다. 하지만 가도 가도 고후 방면에서 넘어오는 버스가 보이지 않아 단념하고 다시 발길을 돌려 허무하게 원래 버스를 타고 요시다 마을로 되돌아왔는데, 그 모든 것도 다 내가 입은 악마의 비단옷 때문이다. 나중에 어디서 가뭄이 들었다는 소문이라도 들으면, 나는 이 옷을 입고 그 땅으로 떠나 어슬렁어슬렁 마구잡이로 돌아다녀야지 생각하고 있다. 폭우가 내리면, 무능력한 나도 생각지도 못한 곳에서 봉사할 수 있을지도 모른다.

이 비를 부르는 옷 말고도 나는 구루메가스리 홑옷 하

나가 더 있다. 이건 내 원고료로 처음 산 옷이다. 나는 이 옷을 아낀다. 아주 중요한 일로 외출할 때만 이걸 입고 나가기로 하고 있다. 나로서는 이 옷이 최고급 나들이옷인 셈인데, 남들은 그렇게 관심을 보이지 않는다. 이걸 입고 나가면, 일도 제대로 성사가 안 된다. 대체로, 나를 깔본다. 평상복처럼 보이는지도 모르겠다. 그럴 때면 집에 돌아가는 길에, 뭐 까짓것, 하고 반항심을 억누르는데, 왠지 모르게 그럴 때면 꼭 가사이 젠조*가 떠올라, 무슨 일이 있어도 이 옷은 버리지 않겠다고 다짐하게 된다.

홑옷에서 겹옷으로 바꿔 입는 시기는 괴롭다. 9월 말부터 10월 초에 걸쳐 열흘 남짓, 나는 남모르는 우수에 잠긴다. 나는 겹옷이 두 벌 있다. 하나는 구루메가스리이고, 또 하나는 어쩐 일인지 비단옷이나. 둘 나 예선에 어머니가 보내준 것인데, 이 두 벌 만큼은 무늬도 작고 수수해서, 동네 한구석의 전당포에 맡기지 않고 보관해두고 있다. 나는 비단옷을 질질 끌며 펠트 밑창을 댄 샌들을 신고, 지팡이를 휘두르며 걷는 성격이 못 되기에, 이 비단옷도 멀리하게 되어, 지난 일이 년 동안 친구의 맞선 자리에 나갈 때나 설날에 고후 처갓집에 놀러 갔을 때 두 번밖에

* 대표적인 사소설 작가 중 한 사람으로, 자신의 가난한 삶과 병, 고난을 소재로 한 작품을 주로 남겼다.

입지 않았다. 그때도 차마 펠트 샌들에 지팡이를 들지는 못했다. 하카마를 입고 새 나막신을 신었다. 내가 펠트 샌들을 싫어하는 이유는 촌스러움을 자랑하려는 게 절대 아니다. 펠트 샌들은 보기에도 우아하고 극장이나 도서관 같은 빌딩에 들어갈 때도 나막신처럼 신발 보관인을 귀찮게 하지 않아도 되니까 나도 사실 한 번 신어본 적은 있지만, 아무래도 발바닥 닿는 부분이 미끄러워 불편하다. 굉장히 불안하고 짜증이 난다. 나막신보다 다섯 배는 더 피곤한 것 같다. 그 뒤로 그만둬버렸다. 지팡이를 휘두르며 걷는 것도 왠지 유식해 보여 나쁘지 않지만, 나는 남들보다 키가 살짝 더 크기 때문에, 어떤 지팡이도 나한테는 너무 짧다. 억지로 땅바닥에 짚고 걸으려고 하면, 허리를 조금 구부려야 한다. 일일이 허리를 구부리며 지팡이를 짚고 걸으면, 성묘 가는 할머니처럼 보일지도 모른다. 오륙년 전, 가늘고 긴 등산용 피켈을 발견하고, 그걸 짚으며 걷고 있는데, 역시나 친구가 천박한 취미라고 화를 내는 바람에 당황하여 그만뒀지만, 나는 결코 취미로 피켈 따위를 든 게 아니다. 아무래도 보통 지팡이는 너무 짧아서, 제대로 짚으며 걸을 수가 없다. 금세 짜증이 난다. 튼튼하면서도 가늘고 긴 피켈이 내게는 육체적으로 필요했던 것이다. 지팡이는 짚으며 걷는 게 아니라, 들고 걷는 거라고 친구가 가르쳐주었지만, 나는 짐을 들고 걷는 게 정말 싫다. 여행을 할 때도 가능한 한 빈손으로 기차를 탈 수 있도록 정말로 온갖 머리를 짜낸다. 여행뿐 아니라 인생의 모든 경우에서도 짐을 잔뜩 들고 걷는 것은 음울함의 근본인 것 같다는 생각이 든다. 짐은 적을수록 좋다. 태어나서 서른두 해, 무거운 짐만 짊어지고 느릿느릿 살아온 내가 뭘 더 바랄 게 있다고 산책할 때까지 거추장스러운 짐을 들 필요가 있겠는가. 나는 밖에 나갈 때는 꼴이 암만 우스꽝스러워도 소지품은 대개 품속에 욱여넣고 다니지만, 지팡이는 도저히 호주머니 안에 넣을 수 없다. 어깨에 걸머지든가, 한 손에 들고 다녀야 한다. 성가실 뿐이다. 더군다나 개가 수상쩍은 무기로 착각해 마구 짖어댈지도 모르고, 뭣 하나 좋은 점이 없다. 아무리 생각해봐도 비단옷을 질질 끌고, 펠트 샌달에 지팡이, 거기다 흰색 버선, 그런 건 도저히 내가 할 수 없는 차림이다. 궁상떠는 성격인지도 모르겠다.

말이 나왔으니 하는 말인데, 나는 학교를 그만두고 칠팔 년 동안 양복이란 걸 입어본 적이 없다. 양복을 싫어하는 게 아니라, 아니, 싫어하기는커녕, 꽤 편리하고 경쾌할 거라고, 늘 동경하기까지 해왔지만, 한 벌도 없어서 안 입는 것이다. 양복은 고향의 어머니도 보내주지 않는다. 또 나는 키가 172센티미터여서, 기성품 양복은 맞지도 않는다. 양복을 맞추면 구두도 셔츠도, 그 밖의 여러 가지 부속품이 필요하니까 아무래도 백 엔 이상은 들어갈 것 같다. 나는 의식주에 관해서는 좀스럽기 때문에, 백 엔 넘게 들여 양복을 맞출 정도라면, 차라리 벼랑에서 거친 파도를 향해 뛰어드는 편이 낫겠다고 생각한다. 언젠가 N씨의 출판 기념회 때였는데, 입고 있는 솜옷 말고는 옷이 하나도 없어, 친구 Y군에게 양복, 셔츠, 넥타이, 구두, 양말 등등 몽땅 다 빌려서 몸에 걸치고 비굴하게 웃으며 참석했는데, 그때도 참으로 평판이 나빠서, 양복은 오랜만이네, 별로군, 안 어울려, 이건 또 뭐야, 하며 감탄해주는 친구라고는 하나도 없었던 것 같다. 결국은 양복을 빌려준 Y군이, 너 때문에 내 양복까지 평판이 나빠졌잖아, 나도 앞으로 이 양복 입고 다닐 마음이 없어졌어, 하며 연회장 한구석에서 작은 목소리로 내게 투덜댔다. 딱 한 번의 양복 차림도 이렇게 끝이 났다. 또다시 양복을 입을 날이 언제가 될지, 지금으로서는 백 엔을 들여서 맞출 마음은 더더욱 없으니, 아주 먼 훗날이 아닐까 생각한다. 나는 당분간 갖고 있는 기모노를 입고 돌아다닐 수밖에 없을 것이다.

좀 전에 말했듯이, 나는 겹옷이 두 벌 있기는 하지만 비단옷은 별로 좋아하지 않는다. 또 하나 구루메가스리가 한 벌 있는데, 나는 이 옷을 사랑한다. 나는 촌스럽고 학생풍의 옷이 왠지 편하다. 평생 학생처럼 살고 싶은 바람도 있다. 모임 같은 데 나가는 전날 밤에는 나는 이 옷을 개어서 이불 밑에 깔아두고 잔다. 그러면 입학시험을 치기 전날 밤처럼, 가슴이 아련히 두근거린다. 이 옷은 나에게 말하자면 나들이옷 같은 것이다. 가을이 깊어져, 이 옷을 입고 으스대며 걸을 수 있는 계절이 되면, 나는 한시름 놓는다. 다시 말해, 홑옷에서 겹옷으로 바꿔 입는 간절기에 입고 다닐 적당한 옷이 없다는 말이기도 하다. 간절기는 늘 나 같은 무능력자를 당황하게 만드는데, 여름과 가을 사이의 간절기에 내 난처함은 심각해진다. 겹옷은 아직 이르다. 구루메가스리 겹옷을 빨리 입고 싶지만, 아직 한낮은 너무 덥다. 그렇다고 늘 홑옷만 고집하면, 너무 빈곤한 느낌이 든다. 어차피 빈곤하니까 찬바람 속을 새우등을 한 채 와들와들 떨며 걷는 것도 어울리기는 하겠지만, 그러면 또 사람들은 가난한 티를 낸다는 둥, 거지꼴로 협박을 한다는 둥, 반항한다는 둥 비난을 할 테고, 그렇다고 한산 습득*처럼 너무 비범한 차림으로 사람들의 정신을 어지럽혀 압도하는 것도 나쁜 일이니까, 나는 될 수 있

* 중국 당나라 때의 선승이자 시인. 둘 다 남루한 거지 행색의 차림으로 다녔다.

으면 평범한 복장으로 다니고 싶다. 그냥 한마디로 말해서, 나는 모직 옷이 없다는 말이다. 좋은 모직 옷을 꼭 한 벌 갖고 싶다. 사실 한 벌 있기는 하다. 내가 고등학교 때 멋 부리던 시절 몰래 사놓은 옷으로 연붉은색의 격자무늬가 그어져 있는 건데, 멋부림의 미몽에서 깨어나 보니, 도저히 남자가 입는 옷이 아니었다. 분명히 여자 옷이다. 그 시기에, 나는 흥분했던 게 분명하다. 아무 의미도 없이, 화려함이고 뭐고 형용할 수도 없는 옷을 입고 몸을 흐느적흐느적하며 걷고 있었던가 생각하니, 나는 얼굴을 감싸고 신음 소리밖에 낼 수 없었다. 도저히 입을 수 없는 옷이다. 보기만 해도 정나미가 떨어진다. 나는 그 옷을 전당포에 오랫동안 맡겨놓고 내버려두고 있었다.

그런데 작년 가을, 전당포 안의 옷이며 담요며 책 따위를 좀 정리하면서, 필요 없는 건 팔아버리고, 쓸 만해 보이는 것만 가져왔다. 집에 가져온 커다란 보따리를 아내 앞에서 풀 때는 아무리 나라고 해도 평정심을 유지할 수 없었다. 조금은 얼굴이 빨개졌던 것이다. 결혼 전 나의 칠칠치 못한 모습이 지금 눈앞에 고스란히 펼쳐지고 있는 것이다. 더러운 유카타는 더러운 그대로 창고에 처박아두었고, 엉덩이 부분이 찢어진 솜옷도 그대로 둘둘 만 채 전당포에 갖다 맡겼고, 멀쩡한 물건이라고는 하나도 없었다.

지저분하고, 곰팡내가 나고, 거기다 모양도 희한하고 무늬도 화려한 것뿐이라, 도저히 제대로 된 인간의 유품이라고는 생각할 수 없는 물건들뿐이다. 나는 보따리를 풀면서 맹렬하게 자조했다.

"데카당이야! 넝마주이한테 팔아버려도 상관없어!"

"아깝다." 아내는 하나하나 더러워하지도 않고 살펴보더니, "이건 순모네요. 고쳐 입으면 되겠어요."

보니까, 그 모직 옷이다. 나는 문밖으로 뛰쳐나가고 싶을 만큼 당황했다. 틀림없이 전당포에 두고 왔을 텐데, 그 모직 옷이 왜 보따리 안에 들어 있었는지, 나는 지금 생각해도 알 수가 없다. 어디선가 잘못이 있었던 거다. 실수다.

"그건, 진짜 젊었을 때 입었던 거야. 화려하군."

나는 내심 당황스러움을 감추며, 아무렇지 않다는 듯한 말투로 말했다.

"입을 수 있겠어요. 당신 모직 옷은 하나도 없잖아요. 마침 잘됐네."

도저히 입을 수 있는 옷이 아니다. 10년 동안 창고에서 잠들어 있는 동안, 바탕천이 기괴하게 변색되어 있다. 이를테면, 양갱색이다. 연붉은색 격자무늬는 지저분한 떫은 감색을 띠고 있어 할머니 옷 같다. 나는 새삼스레 그 옷의 기괴함에 기가 막혀 얼굴을 돌려버렸다.

올가을, 나는 반드시 그날 안에 완성해야 할 일이 있어, 아침 일찍 벌떡 일어났는데, 머리맡에 못 보던 옷이 단정히 개어져 있다. 그 모직 옷이다. 슬슬 가을의 찬 기운이 도는 계절이다. 빨아서 새로 지은 모양인지, 조금은 깔끔해졌지만, 양갱색 천과 떫은 감색 격자무늬는 여전히 그대로다. 하지만 그날 아침은 일에 신경이 쓰여 옷 따위는 귀찮아서 아무 말 없이 바로 갈아입고 아침도 거른 채 일을 시작했다. 점심때가 지나서 겨우 다 쓰고 한숨 돌리고 있는 참에, 정말로 오랜만에 친구가 불쑥 찾아왔다. 마침 좋은 때였다. 나는 그 친구와 함께 밥을 먹고 세상 돌아가는 이야기를 하다가, 산책을 나갔다. 집 근처 이노가시라 공원의 숲에 들어갔을 때, 나는 그제야 엄청난 내 모습을 알아차렸다.

"으아, 안 돼" 하고 나도 모르게 신음했다. "이건, 안 돼." 나는 멈춰 서고 말았다.

"왜 그래? 배탈이라도……" 친구는 걱정스러운 표정으로 내 얼굴을 쳐다보았다.

"아니, 그게 아냐." 나는 쓴웃음을 지으며, "이 옷, 안 이상해?"

"음." 친구는 진지하게, "좀 화려해 보이네."

“10년 전에 산 거야.” 다시 걸으면서, “여자 옷 같아. 거기다 색까지 변해서 더……” 걸을 힘도 없어졌다.

“괜찮아. 그렇게 눈에 띄진 않아.”

“그래?” 조금 기운이 나서 숲을 빠져나와 돌계단을 내려가 연못가를 걸었다.

아무래도 신경이 쓰인다. 나도 이제 서른두 살이고, 이렇게 더부룩한 수염에 덩치 큰 남자가 되어 얼마쯤 고생도 겪어왔는데, 이런 방정맞은 옷을 입고, 닳아빠진 나막신을 신고, 쓸데없이 공원을 어슬렁어슬렁 돌아다니고 있다. 모르는 사람은 나를 근처의 불결한 불량배로 볼 것이다. 또 나를 아는 사람이라도 저 녀석은 아직도 남이 싫어하는 짓을 하고 다니네, 좀 그만하면 좋을 텐데, 하고 점점 더 경멸하겠지. 나는 지금까지 오랫동안 괴찌리는 오해를 받아왔다.

“어때? 신주쿠까지 나가보지 않겠나?” 친구가 권했다.

“농담하지 마.” 나는 고개를 저었다. “이런 꼴로 신주쿠를 걷다가 누가 보기라도 하면 더 안 좋은 소리만 들을 거야.”

“그렇지도 않아.”

“아냐, 싫어.” 나는 완강히 거절했다. “이 근처 찻집에서 잠깐 쉴까?”

"난 술 한잔 하고 싶은데. 그냥 나가보자."

"저기 찻집에 맥주도 있어."

나는 신주쿠 거리에 나가고 싶지 않았다. 옷도 옷이지만, 오늘 완성한 소설이 너무 좋지 않아서 마음이 불안했던 것이다.

"찻집은 그만두지. 추워서 안 되겠어. 어디서 차분하게 한잔하고 싶군."

친구도 요즘 주변에 불쾌한 일만 생기고 있다는 걸 나도 들어서 알고 있었다.

"그럼 아사가야에 가볼까. 신주쿠는 좀……."

"좋은 데 있나?"

딱히 좋은 데도 없지만, 기기라면 전에도 가끔 간 적이 있어서, 내가 이런 희한한 꼴을 하고 있어도 이상하게 여기지 않을 테고, 돈이 좀 모자라도 외상으로 마실 수 있다는 편리함도 있고, 여종업원도 없이 술만 파는 가게여서 옷차림에 신경 쓸 필요도 없겠다고 생각했다.

해 질 무렵, 아사가야 역에서 내려, 친구와 함께 길을 걷는데, 참을 수 없는 기분이었다. 한산 습득 같은 옷차림의 내 모습이 가게 유리창에 비친다. 내 옷이 시뻘겋게 보였다. 팔순 잔치에 빨간 옷을 입은 할아버지가 떠올랐다. 지금 이 힘든 세상에, 뭣 하나 적극적인 도움을 주지도 못하고, 작가로서의 명성도 하나 없고, 10년을 하루 같이 닳아빠진 나막신을 신고, 아사가야를 배회하고 있다. 게다가 오늘은 공들여 빼건 옷까지 차려입고 있다. 나는 영원히 패배자인지도 모른다.

"아무리 나이가 들어도 똑같네. 내 딴에는 꽤 노력하고 있다고 생각하는데도." 걸으면서 나도 모르게 넋두리가 나왔다. "문학이란 게 이런 걸까. 아무래도 난, 안 되는 모양이야. 이런 꼴로 걸어 다니고 있고."

"역시 옷은, 제대로 차려입지 않으면 안 되는 걸까." 친구는 나를 위로하는 얼굴로 "나도 회사에서 손해를 많이 보거든."

친구는 후카가와의 어느 회사에서 일하고 있는데, 역시 옷에는 돈을 쓰고 싶어 하지 않는 성격인 모양이다.

"아니, 옷만 그런 게 아냐. 좀 더 근본적인 정신이야. 나쁜 교육을 받은 거지. 하지만 그래도 베를렌은 좋으니까."

베를렌과 빼건 옷 사이에 대체 어떤 연결고리가 있는지, 내가 말하면서도 너무 느닷없어서 참 부끄러웠지만, 나는 나 자신의 영락을 느끼고 패배를 의식할 때면, 어김없이 베를렌의 울먹이는 얼굴을 떠올리고, 늘 구원받고는 한다. 살아야겠다는 생각이 드는 것이다. 그 사람의 나약함이 오히려 나에게 살아가야겠다는 희망을 준다. 나는 진정으로 숭엄한 광명은 오로지 나약한 반성의 궁극에서부터 비친다고 굳게 믿고 있다. 어쨌든 나는 좀 더 살아보고 싶다. 다시 말해, 최고의 자부심과 최저의 생활로 어떻게든 살아보고 싶다.

"베를렌은 너무 과했나? 아무래도 이 옷을 입고는 무슨 말을 해도 도움이 안 되는군." 견딜 수 없는 기분이었다.

"아냐, 괜찮아." 친구는 그저 가볍게 웃고 있다. 거리에 등불이 켜졌다.

그날 밤, 나는 술집에서 엄청난 실수를 했다. 그 착한 친구를 두드려 팬 것이다. 죄는 분명히 옷에 있었다. 나는 요즘은 무슨 일이든 참고 웃는 수련을 하고 있기 때문에 조금이라도 난동을 피우는 일은 전혀 없었는데, 그날 밤은 결국 저지르고 말았다. 모든 게 그 빨간 옷 때문이라고 나는 믿고 있다. 옷이 사람의 마음에 미치는 영향은 무시무시하다. 나는 그날 밤, 대단히 비굴한 기분으로 술을 마시고 있었다. 우울하고 즐겁지 않았다. 비루하게 술집 주인의 눈치까지 조심조심 살피며, 어두침침한 구석진 곳에 앉아 술을 마시고 있었다. 그런데 이 친구가 그날 밤 어찌 된 영문인지, 기운이 펄펄 넘쳐 고금동서의 예술가에게 닥치는 대로 욕을 퍼붓더니, 기세 좋게 술집 주인에게까지 대들었다. 나는 그 집 주인의 무시무시함을 알고 있다. 언젠가 그 가게에서 처음 보는 청년이 이 친구처럼 술에 취해 다른 손님에게 대든 적이 있는데, 그때 이 주인이 갑자기 딴 사람처럼 엄숙한 얼굴로, 지금이 어떤 때인지 당신은 모르시오? 나가주시오, 두 번 다시 오지 마시오, 하고 선고한 것이다. 나는 주인을 무서운 사람이라고 생각했다. 지금 이 친구가 이렇게 난동을 부리며 주인에게 대들고 있으니, 이제 곧 우리 둘은 추방의 치욕을 맛보게 되겠구나, 하고 나는 조마조마했다. 여느 때의 나라면, 그런 추방의 치욕 따위 전혀 개의치 않고, 친구와 함께 기염을 토했을 게 분명하지만, 그날 밤은 내 기묘한 옷 때문에 기가 팍 죽어 있었기 때문에, 그저 주인의 안색만 살피며, 이봐, 이봐, 하고 소곤소곤 친구를 타이르기만 하고 있었다. 그런데도 친구의 말은 점점 더 기칠이지고, 주변 정세는 마침내 추방령이 떨어지기 일보 직전에까지 다다랐다. 그때, 내가 궁여지책으로 떠올린 것이 바로 '아타카 관문'의 벤케이의 지혜였다. 벤케이의 자비로운 체벌*이다. 나는 눈 딱 감고 친구의 뺨을 되도록 아프지 않게, 그렇지만

* 벤케이는 헤이안 시대의 무장으로 미나모토노 요시츠네의 부하였다. 둘이 쫓기는 몸으로 도망치던 중 아타카 관문을 지날 때 신분이 들킬 위험에 빠지자, 벤케이가 주군 요시츠네를 몽둥이로 두드려 패서 무사히 위기를 모면했는데, 가부키 연극의 주제로 많이 상연되는 유명한 일화이다.

되도록 큰 소리가 나게, 철썩, 철썩, 두 번 때리고는,

"이봐, 정신 차려! 자네, 이런 사람 아니잖아. 오늘 밤은 왜 이래? 정신 차리란 말야!" 하고 주인 귀에 들리도록 큰 소리로 말하면서, 이걸로 일단 추방은 면했다고 가슴을 쓸어내리고 있었는데, 갑자기 요시츠네가 일어서더니 벤케이에게 달려들었다.

"뭐야, 때렸어! 이대로는 못 넘어가!" 하고 고함을 친 것이다. 이런 이야기의 연극은 없다. 나약한 벤케이는 당황하며 일어서서, 이리저리 몸을 피하고 있는데, 드디어 기다리던 사람이 다가왔다. 주인은 곧장 내게로 다가오더니, 나가주시오, 다른 손님한테 방해가 됩니다, 하고 추방령을 나에게 선고한 것이다. 생각해보니, 조금 전의 난동을 부린 건 분명 내 쪽이었다. 벤케이의 고육지책 따위, 남들이 모르는 게 당연하다. 객관적으로 난동의 장본인은 분명 나였다. 술에 취해 큰 소리로 떠들어대는 친구를 남겨두고, 나는 주인에게 쫓겨나 가게를 나왔다. 정말이지 원망스러웠다. 옷이 나빴던 것이다. 멀쩡한 옷만 입고 있었다면, 나도 조금은 주인에게 인격을 인정받고, 가게에서 쫓겨나는 치욕은 당하지 않았을 텐데, 하고 시뻘건 옷을 입은 벤케이는 아사가야의 밤거리를 새우등을 한 채 터벅터벅 걸었다.

지금은 좋은 모직 옷 한 벌을 갖고 싶다. 아무렇지도 않게 입고 걸어 다닐 수 있는 옷을 갖고 싶다. 하지만 옷을 사는 데에 극단적으로 인색한 나는 앞으로도 여러모로 옷 때문에 고생하지 않을까 생각한다.

숙제. 국민복*은 어떨까.

* 전쟁 중 일본에서 강제로 입게 한 군복 비슷한 남성복.

용모

내 얼굴은 요즘 들어 한층 더 커진 것 같다. 원래부터 작은 얼굴은 아니었지만, 요즘 들어 한층 더 커졌다. 미남이라는 건 얼굴이 작고 말쑥하게 정리되어 있는 사람이다. 얼굴이 굉장히 큰 미남이라는 건 실례가 그다지 없는 것 같다. 상상하기도 어렵다. 얼굴이 큰 사람은 모든 걸 순순히 체념하고, '훌륭함'이나 '장엄함'이나 '성대함' 같은 것을 마음에 새기는 수밖에 달리 방법이 없는 것 같다. 하마구치 오사치 씨는 굉장히 얼굴이 큰 사람이었다. 역시 미남은 아니었다. 하지만 성대했다. 장엄하기까지 했다. 용모에 관해서는 남몰래 수양한 적도 있었을 거라는 생각이 든다. 나도 이렇게 되면, 하마구치 씨가 되도록 수양할 수밖에 다른 방법이 없다고 생각한다.

얼굴이 커지면 어지간히 조심하지 않으면 사람들에게 거만하다는 오해를 받는다. 커다란 낯짝으로, 대체 뭐야, 하고 생각하는 등, 뜻밖의 공격을 받을 때도 있다. 며칠 전, 나는 신주쿠의 어느 가게에 들어가 혼자서 맥주를 마시고 있는데, 부르지도 않았는데 여자가 옆에 다가오더니,

"당신은 다락방 철학자 같네요. 되게 잘난 척하고 있는데, 여자한테 인기는 없겠어요. 아니꼽게 예술가인 척 해봤자 소용없다고요. 꿈을 버려요. 노래하지 않는 시인인가? 맞네! 맞아! 당신 참 대단하네요. 이런 데 오려면요, 먼저 치과부터 한 달 다니고 나서 와요" 하고 심한 말을 했다. 나는 할 말이 없어서 계산을 부탁했다. 아닌 게 아니라, 그때부터 대엿새 동안 외출하고 싶지 않았다. 조용히 집에서 책을 읽었다.

코가 빨개지지 않으면 좋겠는데, 그런 생각도 한다.

동네의 언쟁

9월 초, 고후에서 이곳 미타카로 이사를 온 지 나흘째 낮, 농사꾼 행색의 이상한 여자가 찾아와서, 이 근처에 사는 농부인데요, 하고 거짓말을 하며 장미 일곱 송이를 강매하는데, 나는 가짜라는 건 알았지만 나 자신의 비굴한 나약함에 딱 잘라 거절을 못 해 4엔을 뜯기고 나중에 몹시 불쾌한 기분이 들었다. 그러고 나서 한 달 후인 10월 초, 나는 그때의 가짜 농사꾼의 모습을 소설로 써서 문장을 다듬고 있는데, 휘익 뜰 안으로, 실례합니다, 제가 조금 전에 온실에서 왔는데요, 뭐 화초 구근이라도 필요하시면, 하고 마흔 살쯤 되는 남자가 들어와 쭈뼛쭈뼛 툇마루에서 웃고 있다. 얼마 전의 가짜 농부와는 다른 사람이었지만 같은 부류이겠구나 생각하고, 아닙니다, 얼마 전에도 장미 여덟 그루를 마지못해 심었거든요, 하고 나는 여유 있는 웃음을 지으며 말하자, 그 남자가 살짝 낯빛이 달라지더니,

"뭐라고요? 마지못해 심었다니, 그게 무슨 말입니까?" 하고 갑자기 자세를 고쳐 잡으며 내게 시비를 걸었다.

나는 무서워서, 온몸이 와들와들 떨렸다. 침착함을 보이기 위해, 책상에 턱을 괸 채 억지로 웃음을 띠며,

"아니요, 저기, 그 뜰 한구석에 장미가 심겨 있지 않습니까! 그게 제가 속아서 산 거예요."

"그게 나하고 무슨 상관이 있는데요? 이상한 소리 아닙니까? 내 얼굴을 보면서 마지못해 심었다니, 이상한 소리를 하는 거 아닙니까?"

나도 그때는 웃지 않고,

"당신한테 한 말이 아니에요. 얼마 전에 내가 속아서 기분이 안 좋아 그렇게 말한 거예요. 당신, 그런 식으로, 말하면 안 됩니다."

"흥. 잔소리 들으러 온 것 같네. 서로 피차일반 아닌가? 5푼이든 1전이든 돈벌이만 된다면야, 난 장사꾼이니까, 뭐든 비위를 맞춰주겠지만, 그게 아니라면 내가 당신한테 잔소리 들을 이유는 없지 않소."

"그건 일리가 있군. 그럼 나도 일리 있게 말하겠는데, 당신이 날 찾아온 거 아니오?"

누구한테 말하고 뻔뻔하게 남의 집 뜰에 들어온 거지? 하고 말할까 생각했지만, 그건 너무 치사한 말이라서 그만뒀다.

"찾아왔는데, 그게 뭐 어쨌다는 거요?" 장사꾼은 내가 어물어물하고 있는 틈을 타 치고 들어왔다. "나도 한 집안의 가장이오. 잔소리 따위 듣고 싶지 않다고. 속았다니 어쩌니 해도 이렇게 심어놓고 즐기고 있지 않소?"

급소를 찔렸다. 나는 패색이 짙어졌다.

"그야, 즐기고는 있지. 4엔이나 뜯겼는데."

"싼 거 아니오?" 말이 끝나기가 무섭게 반박해온다. 싸울 기세가 등등하다. "카페에 가서 술 마시는 걸 생각해보시오." 무례한 소리까지 한다.

"카페 같은 덴 안 가요. 가고 싶어도 갈 수 없어. 4엔이라니, 나한텐 어마어마하게 뼈아팠다고." 실상을 털어놓는 수밖에 달리 방법이 없다.

"뼈가 아팠든 어쨌든 내가 알 바 아니잖소." 장사꾼은 더더욱 기세등등해져, 흐흐흐 하고 나를 비웃었다. "그렇게 뼈아프면 솔직하게 말하고 거절했으면 됐지."

"그게 내 나약함이오. 거절할 수가 없었거든."

"그렇게 나약해서 어떡합니까?" 점점 더 나를 경멸한다. "멀쩡한 남자가 그렇게 나약해서 용케 이 세상을 살아가네요." 건방진 녀석이다.

"나도 그렇게 생각해요. 그래서 앞으로는 필요 없으면 필요 없다고 분명히 거절하겠다고 마음을 다졌어요. 그런데 당신이 온 거라고."

"하하하하." 장사꾼은 그 말을 듣고 크게 웃었다. "그런 겁니까? 그랬군." 여전히 불쾌한 말투다. "알겠소. 그럼 돌아가죠. 잔소리 들으려고 온 건 아니니까. 피차일반이네. 뺴길 것도 없군." 그런 말을 남기고 가버렸다. 나는 속으로 가슴을 쓸어내렸다.

또다시 얼마 전의 가짜 농부를 묘사하면서 이것저것 문장을 덧붙이나가 나는 사람 많은 동네에 사는 어려움을 생각했다.

옆방에서 바느질을 하던 아내가 조금 있다 나오더니, 나의 어설픈 대응 방법을 웃으며, 장사꾼에게는 돈 있는 척하지 않으면 바로 그렇게 바보 취급을 당하는 법이에요, 4엔이 빼아팠다느니, 그런 품위 없는 소리는 앞으로 하지 마세요, 하고 말했다.

실패한 뜰

(내 누추한 집에는 여섯 평 정도의 뜰이 있다. 아내가 여기에 질서도 없이 이것저것 잔뜩 심어놓았는데, 얼핏 보면 전부 다 실패한 것 같다. 부끄러운 옷차림의 식물들이 작은 목소리로 속삭이고, 나는 그것을 받아 적는다. 그 목소리가 정말로 들린다. 프랑스인 쥘 르나르 씨를 흉내 내는 것은 아니다. 자 그럼.)

옥수수와 토마토

"이렇게 키만 자라니까, 내가 얼마나 창피한지 모르겠어. 이제 슬슬 열매를 맺어야 하는데 배에 기력이 없어서 힘을 못 주겠다니까. 다들 날 갈대라고 생각하겠지? 될 대로 되라지 뭐. 토마토야, 나 잠깐 기대도 될까?"

"뭐야, 뭐야, 대나무 아냐?"

"진심으로 하는 말이야?"

"신경 쓰지 마. 넌 여름을 타서 그런 거야. 멋스럽다는 거지. 이 집 주인아저씨 말에 따르면, 넌 파초를 닮았대. 널 맘에 들어 하는 것 같던데."

"이파리만 커지니까 날 놀리는 거잖아. 이 집 아저씨는 책임감이 없어. 난 이 집 아주머니가 안 됐어. 정성껏 우리를 돌봐주시는데도 난 이렇게 키만 자라고 살은 하나도 안 찌잖아. 토마토 넌 그래도 그럭저럭 열매를 맺었네."

"흐음, 그럭저럭. 근데 난 비천하게 자라서 그런지 내버려둬도 열매를 맺긴 해. 경멸하지 마. 이래 봬도 아주머니는 날 좋아하거든. 이 열매는 내 알통이야. 이것 봐봐, 이얍! 하고 힘을 주면, 불끈불끈 열매가 부풀어 올라. 좀 더 힘을 주면 이 열매가 발그스름해져. 아, 머리가 살짝 헝클어졌네. 머리 깎고 싶어."

호두나무 묘목

"난 고독해. 대기만성할 자신이 있어. 어서 송충이가 기어오를 수 있을 정도의 신분이 되고 싶어. 자 그럼, 오늘도 고매한 명상에 잠겨볼까. 내가 얼마나 고귀한 태생인지 아무도 몰라."

자귀나무 묘목

"저 호두나무 꼬마가 무슨 말을 하고 있는 거지? 투정쟁이가 분명해. 불량소년인지도 몰라. 이제 곧 내가 꽃을 피우면 틀림없이 빈정대는 소릴 하겠지. 조심해야겠어. 어? 누가 내 엉덩이를 간지럽히는 거야? 이웃 꼬마잖아. 진짜, 진짜 꼬마인 주제에 뿌리만 어른만큼 뻗어 있네. 고매한 명상이라니, 어이가 없는 녀석이군. 모른 척하자. 자, 이렇게 잎을 포개고 자는 척해야지. 내가 지금은 달랑 이파리 두 장밖에 없지만, 5년 뒤에는 아름다운 꽃이 필 거야."

당근

"정말, 정말, 어처구니가 없어 말이 안 나오네. 난 쓰레기가 아냐. 이래 봬도 당근 싹이야. 근데 한 달 전부터 눈곱만큼도 안 자랐어. 그대로야. 난 영원히, 이럴까. 창피해서 못 살겠어. 누가 나 좀 뽑아주면 안 될까. 될 대로 되라지. 으하하하. 바보 같은 웃음만 나오네."

무

"땅이 안 좋은 거야. 온통 돌투성이라서 내 이 하얀 다리를 뻗을 수가 없잖아. 웬일인지 털북숭이 다리가 됐네. 우엉인 척해야겠다. 난 그냥 단념했어."

목화 묘목

"내가 지금은 이렇게 작아도 머지않아 곧 방석이 될 거래. 정말일까? 왠지 나 자신이 한심해서 못 견디겠어. 경멸하지 마."

수세미

"음, 이렇게 올라가서, 이렇게 휘감는 건가? 참 어설픈 시렁이네. 휘감는 데에 이렇게 힘이 들어서야. 그래도 이 시렁 만들 때, 이 집 주인 부부가 부부싸움을 했잖아. 아주머니가 졸랐던 모양인지, 멍청한 아저씨가 진지한 얼굴로 이 시렁을 만들었거든. 근데 원체 솜씨가 없어서 아주머니가 웃음을 터뜨리니까, 땀범벅이 된 아저씨가 화를 내면서, 그럼 당신이 해봐, 수세미 시렁이라니 사치품이야, 난 생활 양식을 넓히는 게 싫어, 우린 그럴 처지가 아니야, 하고 희한하게 분위기 깨는 소리를 하길래, 아주머니도 정색하고, 그건 나도 알아요, 하지만 수세미 시렁쯤은 있어도 된다고 생각해요, 이런 가난한 집에도 수세미 시렁이 생긴다는 건, 왠지 기적 같아서 멋진 일이라고 생각해요, 우리 집에도 수세미 시렁이 생긴다니, 거짓말 같아서 난 기뻐서 어쩔 줄을 모르겠다고요, 하고 애달픈 주장을 하는 바람에, 아저씨는 또 떨떠름한 얼굴로 계속해서 이 시렁을 만든 거지. 아무래도 이 집 아저씨는 아내에게 좀 약한 것 같아. 자, 자, 그래도 친절을 저버리는 것도 마음이 괴롭지. 음, 이렇게 올라가서, 이렇게 휘감는다는 건가, 아아, 진짜 어설픈 시렁이네. 휘감을 수도 없게 만들어졌잖아. 의미가 없어. 난 불행한 수세미인지도 몰라."

장미와 대파

"이 집 뜰에선, 역시 내가 여왕이지. 지금은 이렇게 몸이 지저분해지고 이파리에 윤기도 사라졌지만, 이래 봬도 며칠 전까지는 연달아 열 송이 넘게 꽃을 피웠다니까. 이웃집 아주머니들이, 아유, 예쁘라 하고 칭찬하면, 이 집 아저씨가 꼭 방에서 불쑥 튀어나와, 아주머니들한테 채신머리 없이 굽신굽신 인사를 하는데, 내가 얼마나 창피한지. 머리가 나쁜 게 아닐까 몰라. 주인아저씨는 날 무척 아껴주긴 하는데 손질이 늘 엉터리야. 내가 목이 말라 시들시들해졌을 때도 그저 허둥지둥 아주머니만 심하게 닦달하고 아무것도 할 줄을 몰라. 끝내는, 정신이 나갔는지 내 소중한 새싹을 싹둑싹둑 잘라버리더니, 음, 이걸로 그럭저럭, 하고 진지한 얼굴로 시치미를 떼고 있는 거야. 난 쓴웃음이 나왔어. 머리가 나쁘니까 어쩔 수가 없어. 그때 새싹을 그렇게 잘라내지만 않았어도 난 분명 스무 송이는 피웠을 거라고. 이젠 안 돼. 그렇게 목숨 걸고 피웠더니 빨리 늙어버렸어. 난 어서 죽고 싶어. 어머, 당신은 누구예요?"

"나를, 하다못해, 소엽맥문동이라고 불러주시오."

"대파, 아니야?"

"눈치챘어? 부끄럽군."

"무슨 말을 하는 거야? 어지간히도 가느다란 대파네."

"아아, 부끄럽군. 여긴 지리적 요건이 좋지 않아. 시절이 좋았으면, 아냐, 패군지장은 불평을 하지 않는 법. 난 이렇게 누워 있을 거야."

꽃이 피지 않는 수레국화

"시생멸법(是生滅法).* 성자필쇠(盛者必衰).** 차라리 둔갑해서 나갈까."

* 만물은 변하고 영원한 것은 없다.

** 한번 성한 것은 반드시 쇠한다.

금주의 마음

나는 술을 끊으려고 한다. 요즈음의 술은 너무 인간을 비굴하게 만드는 것 같다. 옛날에는 술로 이른바 호연지기를 키웠다고 하지만, 지금은 그저 정신을 천박하게 만들 뿐이다. 요즘 나는 술을 극도로 증오한다. 적어도 장래를 생각하는 인물이라면 오늘 바로, 단호히 술잔을 깨부수어야 한다.

평소 술을 좋아하는 자, 얼마나 그 정신이 좀스러워지는지, 배급주 한 되가 든 병에 눈금 열다섯 개를 긋고, 매일 딱 한 눈금씩만 마시는데, 가끔 도를 넘어 두 눈금이라도 마시는 날에는, 한 눈금 분량만큼 물을 부어, 병을 가로로 껴안고 흔들어 술과 물의 화합 발효를 꾀하는 등, 참으로 실소를 금할 수 없다. 또는 배급 소주 세 홉에다 엽차 한 주전자를 부어, 그 갈색 액체를 작은 잔에 따라 마시면서, 이 위스키는 차 줄기가 뜨는 걸 보니 길조야, 기분 좋군*, 등등 실없는 억지소리를 하며 호방하게 웃어 보이지만, 옆에 있는 아내는 조금도 웃지 않으니 더더욱 비참한 풍경이 된다. 또 옛날에는 저녁 반주 중에 불쑥 멀리서 친구가 찾아오면, 이야, 때맞춰 잘 왔네, 마침 상대가 있었으면 했는데, 아무것도 없지만 한잔 어떤가, 이런 식으로 갑자기 활기를 띠곤 했지만, 지금은 무척이나 음울하다.

"여보, 그럼 슬슬 한 눈금 시작할 테니까 현관문 잠그고 자물쇠 채우고 덧문도 좀 닫아줘. 누가 보고 샘이라도 내면 불편하니까."

한 눈금 어치의 저녁 반주를 샘낼 사람 아무도 없겠지만, 이미 그 정신이 좀스럽게 변했기에, 바람 소리 학 울음소리에도 깜짝깜짝 놀라고, 바깥 발소리에도 가슴이 철렁하며, 왠지 대단히 큰 죄라도 짓고 있는 것 같은 기분이 들어, 세상 사람이 전부 내게 앙심을 품고 있는 듯한, 뭐라 말할 수 없는 공포와 불안과 절망과 울분과 원망과 기도 등 참으로 복잡한 심경으로 방 안 전깃불을 어둡게 하

* 녹차를 따를 때 차의 줄기가 찻잔 안에 일자로 선 채 둥둥 뜨면 길조라고 하는 속설이 있다.

고는 웅크린 채, 할짝할짝 술을 핥듯이 마시고 있다.

"실례합니다" 하고 현관에서 소리가 난다.

"왔구나!" 단단히 방어 자세를 취한다. 이 술을 뺏길 수는 없다. 여보, 이 병은 찬장 안에 숨겨놔, 아직 두 눈금 남았거든, 내일하고 모레 치야, 이 주전자에도 석 잔쯤 남았는데, 이건 자기 전에 마실 거니까, 주전자는 이대로, 이대로, 손대면 안 돼, 보자기라도 씌워놔, 어디 보자, 뭐 빠진 건 없나, 하고 눈알을 크게 굴리며 방 안을 둘러보고 나서는, 갑자기 간살스러운 목소리로,

"누구신가요?"

아아, 쓰면서도 구토가 쏠린다. 인간도 이쯤 되면, 이제 끝이다. 호연지기고 뭐고 아무것도 없다. "달 밝은 밤, 눈 내린 아침, 꽃을 곁에 둔 채 한가로이 이야기를 나누고 술잔을 권하며 온갖 흥취를 더하는구나." 이렇게 읊는 옛사람의 우아한 마음을 조금은 배우고 반성하도록 노력해야 한다.

그렇게까지 술을 마시고 싶은 건가. 붉은 석양을 받으며, 땀은 폭포수처럼, 수염을 기른 멋진 남자들이, 비어홀 앞에서 쭉 줄지어 서서, 가끔씩 살짝 까치발을 딛고 비어홀의 둥근 창으로 안을 들여다보고는, 고개를 저으며 한숨을 쉬고 있다. 좀처럼 자기 차례가 오지 않는 모양이다.

안은 와글와글 북적댄다. 팔꿈치와 팔꿈치가 부딪히고, 서로 옆 손님을 견제하고, 질세라 큰 소리를 지르고, 어이 맥주 빨리 줘, 이봐 '믹주' 하고 도호쿠 사투리로 말하는 사람도 있고, 시끌벅적 왁자지껄, 겨우 맥주 한 잔에 생활의 양식을, 거의 무아지경에 술잔을 비우기가 무섭게, 미안합니다 한마디 없이, 거무스름한 피부에 눈빛이 예사롭지 않은 다음 손님이 의자 뒤에서 밀어제치며 끼어든다. 말하자면 얼떨떨한 채로 퇴장해야 하는 것이다. 다시 마음을 다지고, 좋아, 한 번 더, 하고 또 문밖에서 긴 뱀 같은 줄 끄트머리에 붙어서 순번을 기다린다. 이걸 세 번 네 번 반복하고 심신이 지쳐 늘어지면, 아아 취했다, 하고 힘없이 중얼거리며 집으로 돌아가는 것이다. 나라 안에 술이 그렇게 극도로 부족하지는 않은 것 같다. 그 보다는 술 마시는 사람이 요즘 들어 많아진 게 아닐까 하고 생각한다. 술이 조금 부족해졌다는 소문이 도니까, 지금까지 술을 마신 적도 없는 사람까지, 좋아, 지금 이때, 그 술이라는 걸 한번 마셔두자, 뭐든 경험해보지 않으면 손해야, 마셔보자, 하고 참으로 소인배의 욕심 부리는 마음으로, 배급주도 일단은 받아놓자, 비어홀이라는 데도 한번 들이닥쳐 부대껴보자, 무슨 일이든 지면 안 돼, 오뎅집이라는 데도 가보고 싶군, 카페라는 데도 말은 들었지만 대체 어떤 곳인지 이참에 꼭 경험해보고 싶어, 따위의 시시한 향상심에서, 어느새 남 못지않은 술꾼이 되어, 돈이 없을 때는 한 눈금 어치의 술을 아끼고, 길조라고 하는 위스키를 즐기다 보니, 이제 술을 끊을 수도 없게 된 사람들도 꽤 많아진 게 아닌가 하고 나는 생각한다. 어쨌든 소인배는 구제 불능이다.

가끔 술집 같은 데 가봐도, 정말이지 싫은 게 많다. 손님의 천박한 허영과 비굴, 술집 주인의 거만과 탐욕, 아아, 이제 술은 싫다, 하고 갈 때마다 나는 금주의 결의를 새롭게 다지지만, 여건이 무르익지 않아서인지, 아직은 결단을 못 내리고 있다.

술집에 들어간다. "어서 오십쇼!" 하고 가게 직원이 웃는 얼굴로 맞이해주는 건 옛날 일이다. 지금은 손님이 웃는 얼굴을 보인다. "안녕하십니까" 하고 손님이 술집 주인, 종업원에게, 만면에 비굴한 웃음을 띠며 인사하는데, 그러고도 묵살당하는 게 통례가 된 것 같다. 조심스레 모자를 벗고 인사하며 술집 주인을 '주인어른' 하고 부르며, 생명보험이라도 권하러 왔나 싶은 신사도 있는데, 알고 보면 그도 술을 마시러 온 손님으로, 역시나 묵살당하는 게 통례인 것 같다. 더 조심조심하는 녀석은 들어오자마자 가게 카운터 위에 놓인 화분을 만지작거리기 시작한다. "안 되겠네. 물을 좀 줘야겠어" 하고 주인이 들으란 듯이 중얼거리며 직접 화장실 물을 두 손으로 떠와 찰박찰박 화분에 뿌린다. 몸짓만 요란하지, 화분에 뿌려지는 물은 고작 두세 방울이다. 그러더니 호주머니에서 가위를 꺼내 찰칵찰칵 가지를 치며 모양을 다듬는다. 이 집에 들락거리는 정원사인가 했는데 그게 아니다. 뜻밖에도 은행 중역일 때도 있다. 술집 주인의 비위를 맞추려고, 일부러 호주머니에 가위를 감춰서 가져오는 것일 텐데, 고심한 보람도 없이 그 역시 주인장에게 묵살당한다. 수수한 재주도, 화려한 재주도, 하나도 도움이 안 된다. 하나같이 차갑게 묵살당한다. 하지만 손님도 그 묵살에 기죽지 않고, 어떻게든 한 병이라도 더 마시고 싶은 마음에, 끝내는 자기가 종업원도 뭣도 아니면서, 가게에 누가 들어오면, 일일이 "어서 오십쇼!" 하고 외치고, 또 누가 가게를 나가면 꼭 "감사합니다!" 하고 소리친다. 확실히 착란, 발광 상태이다. 참으로 가련하다. 주인은 혼자 차분하게,

"오늘은 도미구이가 있어" 하고 중얼거린다.

곧바로 한 청년이 탁자를 치며 말한다.

"고맙죠! 진짜 좋아하는 건데. 좋은데요."

속으로는 하나도 좋을 게 없다. 비싸겠지, 그거. 난 지금까지 도미구이 같은 건 먹어본 적도 없는데. 그래도 지금

은 정말로 기쁜 척해야지. 괴롭군, 젠장!

"도미구이라니 참을 수가 없네요." 정말로, 참을 수가 없는 것이다.

다른 손님도 질 수 없다. 나도, 나도, 하며 한 접시에 2엔짜리 도미 구이를 주문한다. 이걸로 어쨌든 한 병은 마실 수 있다. 하지만 주인은 무자비하다. 걸걸한 목소리로,

"돼지고기 조림도 있어."

"뭐, 돼지고기 조림?" 노신사는 빙긋이 웃으며, "기다리던 겁니다" 하고 말한다. 하지만 속으로는 할 말을 잃었다. 노신사는 이가 안 좋아 돼지고기는 아예 씹지도 못한다.

"다음은 돼지고기 조림인가. 나쁘지 않네. 주인장, 말이 통하는군" 하고 속이 뻔히 보이는 멍청한 아부를 떨면, 다른 손님도 질세라 한 접시에 2엔씩 하는 어설픈 조림을 주문한다. 하지만 이쯤에서 호주머니 사정이 불안해져 낙오하는 자도 있다.

"난 돼지고기 조림은 됐어" 하고 완전히 의기소침해져 6호 활자 크기만큼이나 조그만 목소리로 말하며 일어서서, "여기 얼마예요?" 하고 말한다.

다른 손님은 이 애처로운 패배자의 퇴진을 눈으로 배웅하며 멍청한 우월감에 두근두근하는 모양인지,

"이야, 오늘은 많이 먹었어. 주인장, 뭐 더 맛있는 거 없

나? 부탁하네, 또 한 접시" 하고 제정신이 아닌 말까지 내뱉는다. 술을 마시러 온 건지, 음식을 먹으러 온 건지, 알 수가 없어지는 것 같다.

정말이지 술은 요물이다.

술이 싫다

이틀 연달아 술을 마셨다. 그저께 밤과 어제, 이틀 연속으로 술을 마시고, 오늘은 일을 해야 하니까 일찍 일어나, 부엌으로 세수하러 갔다가 얼핏 보니, 한 되짜리 술병 네 개가 비어 있다. 이틀 만에 넉 되를 마신 것이다. 물론 나 혼자서 넉 되를 마신 건 아니다. 그저께 밤, 드물게도 손님 셋이, 미타카의 이 누추한 집에 찾아오기로 되어 있어서, 나는 그 이삼일 전부터 들떠서 안절부절못했다. 한 사람은 W군으로, 초면인 사람이다. 아니, 초면은 아니다. 서로 열 살 무렵에 한 번 얼굴을 보았지만, 말도 하지 않고, 그 뒤로 20년간 떨어져 있었던 것이다. 한 달쯤 전부터 우리 집에 가끔 일간공업신문이라고 하는, 나 같은 사람과는 너무도 인연이 먼 신문이 오기에, 슬쩍 펼쳐보니 전혀 읽을거리가 없다. 왜 나한테 보내주는 거지, 그 속을 알 수가 없었다. 비열한 나는 이게 강매가 아닐까 하는 생각까지 들었다. 아내에게도 말해, 어쨌든 이건 수상하니까, 띠지도 뜯지 말고 그대로 보관해뒀다가, 나중에 대금 청구라도 하러 오면, 한데 묶어서 돌려줄 수 있도록 조치를 해두었다. 그러다가 신문 띠지에 발송인의 이름이 쓰여 날아왔다. W다. 모르는 이름이었다. 나는 몇 번이나 갸웃거리며 생각해봤지만, 알 수가 없었다. 그러더니 '가나기초의 W'라고 띠지에 쓰여 날아왔다. 가나기초라면 내가 태어난 마을이다. 쓰가루 평야 한복판의 작은 마을이다. 같은 마을 출생이라서 자사의 신문을 보내주었다는 건 밝혀졌지만, 여전히 어떤 사람인지 생각이 나지 않는다. 어쨌든 호의라는 건 알았기 때문에 나는 바로 답례 인사를 엽서에 써서 보냈다. "저는 10년이나 고향에 내려가지 않은 데다 지금은 가족들과 소식조차 끊긴 처지인지라, 가나기초의 W님을 떠올릴 수가 없어 유감입니다. 누구신지요. 말이 나온 김에, 누추한 집이지만 한번 들러주십시오" 라고 써서 보냈다. 상대방의 나이도 모르고, 어쩌면 고향의 대선배일지도 모르니, 실례가 되지 않도록 말투에도 충분히 주의를 기울였다. 답장으로 긴 편지를 받았다. 그걸로, 알게 되었다. 고향집 뒤쪽의 등기소 아들이다. 딱딱하게 말하면, 아오모리 현 구(區)재판소 가나기초 등기소 소장의 장남이다. 어릴 때는 아무것도 모르고 그냥 등기소, 등기소, 라고 불렀다. 우리 집 바로 뒤였고, W군은 나보다 한 학년 위여서 직접 이야기해본 적은 없지만, 딱 한 번, 그 등기소 창밖으로 얼굴을 쏘옥 내민 그 얼굴을 얼핏 보았는데, 그 얼굴만큼은 20년이 지난 지금까지도 빛바래지 않고 선명히 남아 있어, 참으로 이상한 기분이 들었다. W라는 이름도 기억나지 않고, 그야말로 은혜도 원한도 없는데다, 나는 고등학교 때의 친구 얼굴조차 몇몇 잊어버렸을 만큼 건망증이 있는데도, 창밖으로 쏘옥 내민 W군의 그 동그란 얼굴만큼은 새까만 무대 위 한 곳에 스포트라이트를 비춘 듯이 선명히 내 눈앞에 떠오르는 것이다. W군도 내성적인 사람인지, 나처럼 밖에 나가서 노는 일은 별로 없지 않았을까. 그때, 딱 한 번, 내가 W군을 보았고, 그것이 20년이 지난 지금도 마치 천연색사진으로 찍어놓은 것처럼, 이미지가 흐릿해지지도 않고 가슴에 남아 있는 것이다. 나는 그 얼굴을 엽서에 그려보았다. 마음속의 이미지 그대로 그릴 수 있어서 기뻤다. 분명 주근깨가 있었다. 그 주근깨도 점점이 뿌리며 그렸다. 귀여운 얼굴이다. 나는 그 엽서를 W군에게 보냈다. 만약 닮지 않았다면 죄송합니다, 하고 무례함을 사죄하면서, 그래도 이 그림을 보여주고 싶었다. 그리고 "11월 2일 저녁 6시쯤, 아오모리 현 출신의 옛 친구 두 명이 저희 집에 오기로 했습니다만, 어떻습니까? 그날 밤 와주시겠습니까? 부탁드립니다" 하고 덧붙였다. Y군과 A군 두 사람을 불렀고, 그날 밤, 내 누추한 집에 놀러 오기로 되어 있었다. Y군과도 10년 만에 만나는 것이다. Y군은 멋진 사람이다. 내 중학교 선배다. 원래 정이 많은 사람이었다. 오륙 년 동안, 사라졌었다. 큰 시련이었다. 그동안, 독방에서 꽤 당당히 수행을 한 것 같다. 지금은 어느 출판사의 편집부에서 일하고 있다. A군은 내 중학교 동창이다. 화가다. 어느 모임에서, 이것도 거의 10년 만인데, 우연히 만나게 되어 나는 굉장히 흥분했다. 중학교 3학년 때, 어느 악질 선생이 학생을 벌주면서 으스대는 표정을 짓는 걸 본 순간, 나는 그 선생에게 경멸을 담은 박수를 크게 쳐주었다. 참을 수가 없었다. 이번에는 내가, 죽도록 얻어맞았다. 그때, 나를 도와준 사람이 A군이다. A군은 곧바로 동지들을 모아 동맹 휴교를 계획했다. 반 전체의 대소동이 되었다. 나는 무서워서 와들와들 떨고 있었다. 동맹 휴교를 시작하려고 했을 때, 그 선생이 우리 교실로 몰래 찾아와서, 더듬거리며 사과했다. 동맹 휴교는 취소되었다. A군과는 그런 공통의 그리운 추억이 있다.

Y군과 A군, 둘이 함께 내 집에 놀러 와주는 것만으로도 나에게는 큰 감격인데, 지금 또 W군과 20년 만에 상봉할 수 있게 되었으니, 나는 사흘 전부터 들떠서, '기다린다'는 것은 정말이지 괴로운 감정이구나, 하고 새삼 통감한 것이다.

딴 데서 받은 술이 두 되 있었다. 나는 평소, 집에 술을 사놓는 것을 싫어한다. 누렇게 흐릿한 액체가 꽉 차 있는 됫병은 도대체가 불결하고 추잡한 느낌마저 들고, 부끄럽고 눈에 거슬려 견딜 수가 없다. 부엌 한구석에 그 됫병술이 있다는 것만으로도, 이 좁은 집 전체가 걸쭉하게 탁해지고, 달콤새큼한 묘한 냄새까지 느껴져, 왠지 뒤가 켕기는 듯한 기분이 드는 것이다. 집의 북서쪽 한구석에 이상하게 추하고 불결한 것이 똬리를 틀고 숨어 있는 것 같아, 책상 앞에 앉아 일하고 있어도, 도무지 깨끗이 정진을 할 수 없을 것 같은 불안하고 찜찜한 생각에 견딜 수가 없다. 도저히 차분해지지 않는다.

밤에, 혼자 책상에 턱을 괸 채, 이런저런 생각을 하며, 괴롭고 불안해져, 술이라도 마셔 그 기분을 떨쳐버리고 싶을 때가 가끔 있어, 그때는 밖에 나가 미타카 역 근처 스시집에 가서 급하게 술을 들이켜는데, 그럴 때는 집에 술이 있으면 편리하겠다는 생각도 들지만, 그래도 역시 집에 술을 놔두면 신경이 쓰여, 딱히 마시고 싶지도 않은데 그냥 부엌에서 술을 쫓아내고 싶은 기분에 벌컥벌컥 마시고, 결국에는 다 비워버리니, 늘 소량의 술을 집에 마련해놓고 그때그때 조금씩 마신다는 차분하기 그지없는 재주는 부릴 수가 없어, 자연스레 All or Nothing의 방식으로, 평소에는 집에 한 방울의 술도 두지 않고, 마시고 싶을 때는 밖에 나가서 실컷 마시는 습관이 붙어버린 것이다. 친구가 와도 대개 밖으로 데리고 나가 마신다. 집사람이 듣지 않았으면 하는 이야기가 어쩌다 튀어나올지도 모르고, 게다가 술은 물론이고 안주도 없으니 귀찮아서 밖으로 나가는 것이다. 아주 친한 사람이라면, 그리고 오는 날짜를 미리 알고 있다면, 제대로 준비해서, 밤새 느긋하게 마시겠지만, 나한테 그런 친한 친구는 손으로 꼽을 정도밖에 없다. 그런 친한 친구라면 아무리 변변찮은 안주라도 부끄럽지 않고 집사람이 들으면 안 될 이야기도 나올 리가 없기 때문에, 나는 꽤나 으스대며 참으로 즐겁게 그야말로 마음껏 마실 수 있지만, 그런 좋은 기회는 두 달에 한 번쯤이고, 대개는 불쑥 들이닥치는 방문에 당황하며 그만 밖으로 나가게 되는 것이다. 뭐니 뭐니 해도, 정말 친한 사람과 집에서 느긋하게 한잔하는 것만큼 즐거운 건 없다. 때마침 술이 있을 때, 불쑥 친한 친구가 찾아오면, 정말로 기쁘다. 멀리서 벗이 찾아오니, 라는 구절이 저절로 마음속에 솟아오른다. 하지만 언제 올지, 알 수 없다. 늘 술을 준비해놓고 기다린다는 건 마음이 들떠서 도저히 안 된다. 평소에는 한 방울도, 술을 집에 놔두고 싶지 않기 때문에, 그건 좀처럼 쉽지 않다.

친구가 왔다고 해서, 별스레 술을 더 마실 필요는 없을 것 같아도, 아무래도 그렇지 않다. 나는 나약한 남자라서, 술도 없이 진지하게 이야기를 하고 있으면 30분 만에 녹초가 되어 비굴해지고 안절부절못하며 어쩔 줄을 몰라 한다. 자유롭고 활달하게 의견을 펼치는 게 도저히 안 된다. 으음, 아아, 하고 건성으로 답하며 전혀 딴 생각을 하고 있다. 속으로 끊임없이 멍청하고 쳇바퀴 돌리듯 똑같은 것만 자문자답하고 있어, 마치 바보 같다. 아무것도 말할 수가 없다. 쓸데없이 지치는 것이다. 도저히 견딜 수가 없다. 술을 마시면 기분을 속일 수 있어서, 엉터리 같은 소리를 해도 그다지 돌이켜 생각하지 않게 되니까 살 것 같다. 그 대신, 술이 깨면, 후회가 막심하다. 땅바닥에 구르고, 큰 소리로 으아악, 울부짖고 싶다. 가슴이 쿵쿵 소란을 피우고, 가만히 있을 수가 없다. 말할 수 없이 쓸쓸하다. 죽고 싶어진다. 술을 알게 된 지, 벌써 10년이나 되지만, 이 기분에는 도저히 익숙해지지 않는다. 태연히 있을 수가 없다. 부끄러움과 후회스러움에 말 그대로 이리저리 뒤척이며 잠도 못 잔다. 그렇다면 술을 끊으면 될 텐데, 그래도 친구 얼굴을 보면 이상하게 흥분되고 온몸이 부르르 떨려서, 술이라도 마시지 않으면 어찌할 수가 없다. 골치 아픈 일이다.

그저께 밤, 정말로 귀한 손님 셋이 놀러 오기로 해서, 나는 사흘 전부터 가만히 있지를 못했다. 부엌에 술이 두 되 있었다. 딴 데서 받은 건데, 그 술을 처치할 방법을 생각하던 참에, Y군이 11월 2일 밤 A군과 둘이서 놀러 오겠다는 엽서를 받고, 좋아, 이 기회에 W군도 오라고 해서 넷이서 술 두 되를 처치해버리자, 집 안에 술이 있으니 아무래도 눈에 거슬리고, 불결하고, 정신이 팔려서 안 되겠어, 넷이서 두 되는 부족할지도 몰라, 한창 분위기가 무르익었는데, 집사람이 넋 나간 표정으로, 술이 다 떨어졌는데요, 하면, 듣는 쪽은 참으로 흥이 깨지는 법이라, 술집에 가서 한 되 더 사다 놓으라고, 나는 당연하다는 얼굴로 집사람에게 일러두었다. 술은 석 되 있다. 부엌에 세 병, 나란히 놓여 있다. 그걸 보니, 도저히 가만히 있을 수가 없다. 큰 범죄를 저지르는 사람처럼, 마음속의 불안, 긴장이 극한으로 치닫는다. 분수도 모르고 사치를 부리는 것 같은 생각이 들고, 범죄 의식이 바싹바싹 밀려와, 나는 그저께는 아침부터 의미도 없이 뜰을 빙빙 돌아다니고, 좁은 방 안을 성큼성큼 걸어 다니고, 시계를 5분마다 쳐다보며 오로지 해가 지기만을 기다렸다.

6시 반에 W군이 왔다. 그 그림은 놀랐습니다. 감탄했어요. 주근깨 같은 걸, 용케 기억하고 있었군요. 친근감을 표하기 위해 굳이 쓰가루 사투리로 W군은 웃으며 말했다. 오랜만에 쓰가루 사투리를 들으니, 나도 반가워 애써 쓰가루 말을 연발하며, 마십시다, 오늘 밤은, 죽도록 마시는 겁니다, 하면서 한시라도 빨리 술에 취하고 싶어 벌컥벌컥 들이켰다. 7시가 조금 지나자, Y군과 A군이 함께 찾아왔다. 나는 그저 마셨다. 감격을, 어떤 말로 바꿔야 좋을지 몰라서, 그저 마셨다. 죽도록 마셨다. 12시에 다들 돌아갔다. 나는 엎어지듯 쓰러져 잠이 들었다.

어제 아침, 눈을 뜨자마자 아내에게 물었다. “뭐, 실수한 거 없어? 실수 안 했지? 나쁜 소리 같은 거 안 했지?”

실수는 안 한 것 같아요, 라는 아내의 답을 듣고, 다행이군, 하고 가슴을 쓸어내렸다. 하지만 왠지 다들 너무 좋은 사람들인데, 모처럼 이런 시골까지 찾아와주었는데, 내가 아무것도 대접하지 못해, 다들 일종의 외로움과 환멸을 품고 돌아가지나 않았을까, 그런 걱정이 고개를 치켜들고, 그 걱정이 순식간에 소나기구름처럼 온몸에 퍼지면서, 역시나 이불 속에서 안절부절못하며 몸부림치기 시작했다. 거기다 W군이 우리 집 현관에 술 한 병을 몰래 두고 간 것을 그날 아침에야 발견하고, W군의 호의가 못 견디게 몸에 사무쳐, 그 주변을 맨발로 뛰어다니고 싶을 만큼 괴로웠다.

그때, 야마나시 현의 요시다에서 N군이 찾아왔다. N군은 작년 가을, 내가 미사카 고개에 일하러 떠났을 때 알게 된 친구다. 이번에 도쿄의 조선소에서 근무하게 되었다고 환하게 웃으며 말했다. 나는 N군을 놓아줘서는 안 된다고 생각했다. 부엌에 아직 술이 남아 있을 테다. 게다가 어젯밤 W군이 일부러 가져온 술이 또 한 되 있다. 처치해버리자고 생각했다. 오늘, 부엌의 부정한 것을 깨끗이 치우고, 내일부터 결백의 정진을 시작하자고, 속으로 계획하고, 억지로 N군에게도 술을 권하며 나도 마구 들이켰다. 그때, 불쑥 Y군이 부인과 함께, 어젯밤에는 감사했다며, 예의 갖춰 인사를 하러 찾아왔다. 현관에서 돌아가려는 것을, 내가 Y군의 손목을 세게 붙잡고는 놓아주지 않았다. 잠깐이면 되니까, 어쨌든, 잠깐이면 되니까, 일단 부인도 들어오시죠, 하고 거의 폭력적으로 방 안으로 들어오게 해서, 이것저것, 제멋대로 구실을 붙여, 드디어 Y군도 술자리에 끌어들이는 데 성공했다. Y군은 그날 경축일이라 휴무여서, 친척집 두세 곳에 오랜만에 인사를 하러 다니던 중이었는데, 아직 또 한 집에 얼굴을 비쳐야 한다며 도망치려는 것을, 아닙니다, 그 한 집은 남겨두는 편이 인생의 맛이지요, 완벽을 바라서는 안 됩니다, 하고 말도 안 되는 소리를 지껄이며, 끝내 술 넉 되를, 한 방울도 안 남기고 처치해버리는 데 성공했다.

모처럼 와주셨는데, 아무것도 대접을 못해 안타깝습니다. 문학론도 이제 질렸습니다. 별 대단치도 않은, 남의 험담만 하는 거잖아요? 문학도 싫어졌습니다. 이런 말은 어떤가요. "그는 문학이 싫은 나머지, 문인이 되었다."

정말입니다. 원래 싸움을 좋아하지 않는 사람이 더 이상 참지 못하고 일어섰을 때가 더 강한 법입니다. 여러분도 조금 더, 문학을 싫어해보면 어떨까요. 진짜 새로운 건 그런 데서 나오는 것입니다.

뭐, 내 문학론은 그것뿐이고, 나머지는 울지 않는 반딧불*, 침묵하는 해군입니다.

모처럼 놀러 와주셨는데, 이렇게 아무것도 대접할 게 없으니, 제가 힘이 빠지는군요. 술이라도 있으면 좋을 텐데, 이삼일 전에 배급받은 술은 하필이면 그날 다 마셔버렸답니다. 어디에 한잔하러 나가고 싶군요. 그런데 이것도 하필, 아하하하, 돈이 없네요. 이번 달은 돈을 너무 많이 써서, 칩거 중이에요. 책을 팔아서까지 술을 마시고 싶지는 않아서, 뭐, 참고 차라도 마시면서 오늘 밤 이제부터 어떻게 놀지 천천히 생각해볼까요?

당신은 놀러 온 거겠지요? 어디를 가든 경멸당하고, 호주머니 안도 불안해서, D한테라도 찾아가면 어쩌면 기분이 풀릴지도 몰라, 하고 찾아온 거죠? 영광스러운 일입니다. 그렇게 기대하고 오셨는데, 무엇 하나 해드릴 게 없는 것도, 애석한 일입니다.

좋습니다. 오늘 밤은 내 앨범을 보여드리지요. 재미있는 사진이 있을지도 모릅니다. 손님 대접에 앨범을 꺼낸다는 건 어지간히 열정이 없다는 증거예요. 적당히 대접하다가 완곡히 돌려보내려고 할 때, 이 앨범이라는 녀석이 등장

* '울지 않는 반딧불이 몸을 태운다'라는 속담이 있는데, 겉으로 표현하는 사람보다, 가만히 속으로 참고 있는 사람의 마음속이 훨씬 더 간절하다는 뜻으로 쓰인다.

하는 법입니다. 조심하세요. 화내면 안 됩니다. 내 경우는 그런 게 아니에요. 오늘 밤은 하필 술도 없고, 돈도 없습니다. 문학론도 싫습니다. 하지만 당신을 이대로 허무하게 돌려보내는 것도 마음이 아프니, 이를테면 궁여지책으로 이런 보잘것없는 앨범을 꺼낸 것입니다. 원래 나는 내 사진 따위를 남에게 보여주는 걸 아주 싫어합니다. 실례되는 행동이지요. 꽤 친한 사이가 아니면, 보여줄 수 없습니다. 남자가 나이깨나 먹고, 꼴불견입니다. 나는 도무지 사진 그 자체에는 딱히 흥미가 없습니다. 사진을 찍는 것도, 찍히는 것도, 전혀 재미가 없습니다. 사진이라는 걸 전혀 믿지 않습니다. 그래서 내 사진도, 남의 사진도, 소중히 보관하는 일이 없습니다. 대개는 이런 서랍 안에 넣어두기 때문에, 대청소나 이사할 때마다 매번 하나둘 없어지는 바람에, 아주 조금밖에 남아 있지 않습니다. 며칠 전, 아내가 그 남아 있는 몇 안 되는 사진을 정리하면서 이런 앨범을 만들길래, 처음에는 웬 호들갑이냐며 반대했지만, 그래도 이렇게 만들어놓은 걸 천천히 보고 있으니, 살짝 감회가 솟구쳐 올랐습니다. 하지만 그건 나 혼자만의 감회일 뿐, 다른 사람이 보면, 아무 재미도 없을지 모릅니다. 오늘 밤은 아무래도 달리 이야깃거리도 없고, 모처럼 와주셨는데 아무 대접도 할 수 없지만, 이대로는 너무 흥취가 없어, 궁한 끝에 이런 걸 꺼냈으니, 가난뱅이의 작은 정성으로 여기고, 재미도 없겠지만 봐주십시오.

한 가지, 설명을 할까요. 어설픈 종이 인형극처럼 될지도 모르지만, 웃지 말고 들어주십시오.

아주 옛날 사진은 없습니다. 앞에서도 말했듯이, 이사나 대청소 등으로 어느새 사라져버렸습니다. 앨범의 첫 페이지에는 대개 그 사람의 부모님 사진이 붙어 있는 법이지만, 내 앨범에는 그것도 없습니다. 부모님 사진은커녕, 가족들 사진은 한 장도 없습니다. 아니, 작년 가을, 바로 위 누나가 어린 큰딸과 함께 찍은 명함판 사진을 한 장 보내주었는데, 정말 그 사진 하나뿐, 다른 가족의 사진은 하나도 없습니다. 내가 일부러 가족사진을 없앤 건 아닙니다. 십수 년 전부터 고향의 가족들과 편지 왕래가 없었기 때문에 자연스레 그런 결과가 되어버렸습니다.

또 대개의 앨범에는 그 주인의 갓난아기 때 사진이나 소학생 시절의 사진 같은 것도 있어서 재미를 더해주기 마련이지만, 내 앨범에는 그런 것도 없습니다. 고향 집에는 보관되어 있을지 모르지만, 내 수중에는 없습니다. 그래서 이 앨범만 봐서는, 사람들은 내가 어디서 굴러온 말뼈다귀인지 짐작도 하지 못할 것입니다. 생각해보면, 쓸쓸한 앨범입니다. 펼치면, 맨 첫 페이지, 주인공은 벌써 고등학교 학생입니다. 참으로 당돌한 첫 페이지입니다.

이건 H 고등학교의 강당입니다. 학생이 마흔 명쯤, 예의 바르게 줄을 서 있는데, 전부 내 동급생들입니다. 주임 선생이 앞줄 중앙에 앉아 있네요. 이분은 영어 선생인데, 나는 가끔 이 선생에게 칭찬을 받았습니다. 웃으면 안 됩니다. 정말이에요. 나도 이때는 공부를 아주 잘했습니다. 이 선생뿐만 아니라, 다른 두세 명의 선생에게도 칭찬을 받았습니다. 정말이에요. 수석을 하려고 노력했지만, 도저히 무리였습니다. 여기, 세 번째 줄 끝에 서 있는 왜소한 학생, 이 학생만큼은 아무리 해도 이길 수가 없었습니다. 이 녀석은 공부를 잘했어요. 이런 멍한 얼굴을 하고 있지만, 정말 공부를 잘했습니다. 잘하려는 마음이 아예 없었는데도, 견실했습니다. 그런 게 진짜인지도 모릅니다. 지금은 조선에 있는 은행에 근무하고 있다는데, 이 사람과 비교하면 나 같은 건 덜렁대고 경박스러운 재능을 가졌다고 할까요. 여기 보세요, 제가 이 사진 속 어디에 있는지 아시겠습니까? 맞습니다. 그 주임 선생 옆에 딱 붙어 앉아서, 참으로 경박하게, 히죽 웃고 있는 학생이 접니다. 열아홉 살에 벌써 이렇게 기교를 부리고 있습니다. 정말 싫군요. 왜 웃고 있는 걸까요. 보세요, 마흔 명쯤 되는 학생들 중에 웃고 있는 건 나 혼자잖아요. 대단히 엄숙해야 할 기념 촬영에서 히죽 웃다니, 채신머리가 없습니다. 진지하지 못해요. 왜 이럴까요. 촬영 전의 혼잡한 틈을 타, 어느새 맨 앞줄의 선생님 옆자리에 앉아, 히죽 웃고 있습니다. 어이가 없는 녀석입니다. 이런 녀석이 크면 소매치기의 명수 같은 게 되는 법입니다. 하지만 의외로, 어느 한 군데 크게 모자라는 데가 있어, 소매치기 두목은 되지도 못했을 뿐 아니라, 꼴사나운 실패의 연속으로 그 후 십수 년간을 울고 소리치고, 꼴사납게 끙끙대고 신음하는 등 굉장한 소동을 피웠습니다.

자, 보세요. 그다음 사진에서 이미 얼간이 본성을 드러내고 있군요. 이것도 역시 고등학교 시절 사진인데, 하숙집 방에서 책상 앞에 앉아 턱을 괴고 늘어져 있는 모습입니다. 얼마나 꼴사나운지요. 흐느적흐느적 상체를 꼬고 앉아, 가부키 연극의 선잠 자는 모습처럼 오른 손바닥을 가볍게 턱에 대고, 입은 작게 오므리고, 눈은 치켜뜬 채 먼 곳을 바라보고 있는 멍청이 같습니다. 감색 무명 기모노에 좁은 허리띠 또한 유별난 유행이네요. 이건 아니지요. 속옷 깃을 최대한 바싹 여미고, 그야말로, 나는 내 옷깃으로 목을 졸라 죽을 거야, 라고 말하고 있는 것만 같습니다. 심각하네요. 지금 당장 이 사진을 찢어서 버리고 싶은 발작에 사로잡히지만, 그래도 그건 비겁합니다. 내 과

거에는 이런 모습도 분명 있었던 것입니다. 이즈미 교카의 나쁜 영향인지도 모릅니다. 웃어주세요. 도망치지도, 숨지도 않고, 벌을 받겠습니다. 미련 없이 보여드리겠습니다. 하지만 그렇다고 해도, 이 녀석은 너무 심하네요. 그 무렵 고등학교에는 강파와 연파*가 대립하고 있어, 연파 학생이 가끔 강파 학생에게 얻어맞곤 했는데, 나는 그런 나약하기 그지없는 차림으로 길을 걸어도, 한 번도 맞은 적이 없습니다. 충고를 들은 적도 없습니다. 그 대단한 강파들도 이런 내 모습에는 기가 막힌 나머지 멀리했는지도 모르겠네요. 나는 지금도 꽤 바보지만, 그때는 더 심한 바보였습니다. 요괴였습니다. 온갖 사치를 부리고 생활하면서도 사는 보람이 없어, 자살을 기도한 적도 있습니다. 뭐가 뭔지, 알 수 없는 시절이었습니다. 연파라고 해도, 겉모습뿐이지 여자에게 겁이 많았습니다. 그저 무턱대고 잘난 척하기만 했습니다. 여자 일로 실제로 문제를 일으킨 건 대학에 들어가고 나서입니다.

이건 대학 시절 사진인데, 이 무렵부터 조금은 생활고 비슷한 걸 맛보게 되어, 얼굴 표정도 그다지 유별나 보이

* 메이지 시대 청소년 사회에서 대립하던 두 파로, 강파는 이상과 자기주장, 남자다움에 가치를 두는 반면, 연파는 화려한 복장으로 이성 교제에 빠져 있던 무리가 주를 이루었다.

지는 않고, 옷도 평범한 교복과 교모에, 어딘지 모르게 벌써 늙어 지친 그림자조차 보입니다. 이 무렵, 나는 어떤 여자와 함께 살기 시작했습니다. 하지만 이렇게 호들갑스럽게 팔짱을 끼고 있는 걸 보니, 역시 조금 잘난 척을 하고 있군요. 하지만 이 사진을 찍을 때는 나도 조금은 잘난 척할 수밖에 없었습니다. 내 양쪽에 서 있는 두 명의 미남, 본 기억이 있지 않나요? 그렇습니다. 영화배우입니다. Y와 T입니다. 그리고 내 앞에 쪼그리고 앉은 여자 두 명도 본 것 같죠? 맞습니다. 여배우 K와 S입니다. 놀랐죠? 이건 내가 대학에 들어간 해 가을에, 누가 데려다줘서 쇼치쿠 영화사의 가마타 촬영장에 놀러 갔을 때 찍은 기념사진입니다. 그 무렵, 쇼치쿠의 촬영장은 가마타에 있었습니다. 그때 나를 데려가준 사람은 영화계의 상당한 유지였던 모양으로, 우리는 그날 큰 환대를 받았습니다. 뒤쪽에 두 명, 통통하게 살찐 사람이 있지요? 안경을 쓴 쪽이 그 유지이고, 또 한 명 피부가 흰 쪽이 촬영장 소장입니다. 이 소장은 아주 겸손한 사람으로, 일개 학생일 뿐인 나를 아주 극진히 대접해주었습니다. 장사꾼처럼 불쾌하지도 않고, 성실하고 예의 바른 사람이었습니다. 정말 훌륭한 사람이었습니다. 촬영장 안뜰에서 간부 배우들과 기념 촬영을 했는데, 세상 사람들이 미남이라고 떠들어대는 Y도 T

도 그다지 미남이라는 생각이 들지 않고, 셋이 나란히 서 있는데, 내가 제일 괜찮지 않나 하는 생각이 들어, 이렇게 호들갑스럽게 팔짱을 끼고 찍은 것입니다. 그런데 나중에 보내준 이 사진을 보니, 역시나 아니었습니다. 나는 왜 이렇게 세련되지 못할까요. Y도 T도 이렇게 보니 정말 세련됐네요. 두 마리의 경주마 사이에 낙타 한 마리가 둔하게 서 있는 것 같군요. 나는 왜 이렇게 촌스러울까요. 그래도 꽤 괜찮다고 생각하면서 팔짱을 낀 건데 말입니다. 자부심이 강한 남자입니다. 나 자신의 둔한 촌티를 명확하게 깨달은 건 바로 얼마 전이니까요. 하긴 지금은 나의 이런 촌스러움을 그렇게 부끄러워하지도 않지만 말입니다.

학창 시절 사진은 이것 세 장뿐입니다. 그 후 삼사 년의 생활은 엉망진창이어서 사진을 찍을 마음의 여유도 없었고, 또 취향이 별난 누군가가 당시의 내 모습을 찍으려고 시도했더라도, 내가 내내 두리번거리며 한순간도 가만있지 않으니 촬영 계획을 단념할 수밖에 없었겠지요. 그래도 청색 작업복을 입고 긴자 뒷골목 바 앞에 서 있는 사진 같은 게 두세 장 있을 텐데, 언제쯤인지 없어져버렸습니다. 전혀 아까운 사진은 아닙니다.

힘겨운 혼란 끝에 큰 병을 얻고 겨우 병원에서 나와, 지바 현의 후나바시 변두리에 작은 집 한 채를 빌려, 반(半)

병자 같은 생활을 시작했을 때의 모습이 이 사진입니다. 아주 말랐죠? 그야말로 뼈와 가죽뿐이군요. 내 얼굴 같지 않지요? 내가 봐도 좀 꺼림칙합니다. 파충류 같은 느낌이네요. 나 스스로도 이제 살날이 얼마 남지 않았다고 생각했습니다. 이 무렵 첫 번째 창작집《만년》이 출판되어, 그 초판본에 이 사진을 실었습니다. 그야말로 '만년의 초상'이었던 셈인데, 나는 아직도 죽지 않고, 예를 들면, 한낮의 반딧불처럼 느릿느릿 보기 흉하게 돌아다니고 있습니다. 부쩍 살이 쪘습니다. 이 사진을 보세요. 후나바시에 2년쯤 살다가 도쿄로 올라와, 그때까지 6년간 함께 살던 여자와도 헤어지고, 혼자서 변두리 하숙방에서 뒹굴고 있는 동안, 이렇게 살이 쪄버렸습니다. 최근에 또 조금 빠졌지만, 이 하숙집 시절, 나는 두더지처럼 뚱뚱해졌습니다. 이 사진은 말하자면, 살이 너무 쪄 창피해서 웃고 있는 것입니다.《허구의 방황》이라는 두 번째 창작집에 이 사진을 실었습니다. 오리너구리라는 동물을 꼭 닮았다고 말한 친구가 있었습니다. 또 어떤 친구는 위로하면서, 더글러스라는 희극 배우를 닮았다며 한턱내라고 했습니다. 어쨌든 심하게 살이 쪘습니다. 이렇게 살이 찌면, 외로운 얼굴을 하고 있어도, 조금도 돋보이지 않는 법입니다. 그 무렵 나는 살은 쪘어도 아주 외로웠는데, 외로움이 조금도 얼굴에 드러나지 않고, 이렇게 수줍은 듯 웃음 짓는 표정이 되어버려, 아무도 딱히 동정해주지 않았습니다. 보세요, 이 호숫가에 쪼그리고 앉아 고개 숙여 뭔가를 생각하고 있는 사진, 이건 그 무렵, 선배들을 따라 미야케 섬에 놀러 갔을 때의 사진인데, 너무 외로워서 이렇게 혼자 쪼그리고 앉아 있어도, 냉정하게 비판하자면, 칠칠치 못하게 졸고 있는 모습 같군요. 우수의 그림자라고는 조금도 없습니다. 이건 미야케 섬의 왕인 A씨가 나도 모르게 몰래 찍어서 이렇게 크게 확대해 내게 보내준 것입니다. A씨는 섬에서 제일가는 부호로, 시 같은 걸 지으며 섬의 왕처럼 여유롭게 살고 있는 사람인데, 이 여행도 그 A씨가 초대해준 것이었어요. 우리 일행은 그때 크게 신세를 졌습니다. 편지 쓰기를 귀찮아하는 나는 아직 감사 편지고 뭐고 아무것도 보내지 않았는데, 얼마 전 미야케 섬의 화산 폭발로 큰 고생을 하셨을 텐데도, 여전히 편지 쓰기가 귀찮아 안부 편지도 보내지 않았으니, 도쿄의 작가라는 인간은 참 의리를 모른다며 왕도 어이가 없었을 것입니다.

다음은 고후에 살던 무렵의 사진입니다. 또 조금씩 살이 빠지기 시작했습니다. 도쿄 교외의 하숙집에서 가방 하나 들고 여행을 떠났다가, 그대로 고후에 눌러살게 되었습니다. 2년 정도 고후에 있다가 거기서 결혼했고, 그 후 지금 여기 미타카로 이사를 왔습니다. 이 사진은 고후의 다케다 신사에서 처남이 찍어준 것인데, 정말이지 나이 든 얼굴이 되었네요. 딱 서른 살이었습니다. 그런데 이 사진을 보면 마흔이 넘은 아저씨 같습니다. 남들 못지않게 고생을 한 것이겠지요. 포즈도 뭐도 없이, 그냥 멍하게 서 있네요. 아니, 발밑의 얼룩조릿대를 진기하다는 듯 바라보고 있습니다. 완전히 얼이 빠져 있습니다. 그리고 이 툇마루에 걸터앉아, 눈을 슴벅슴벅하고 있는 사진, 이것도 고후에 살던 무렵인데, 씩씩한 데도 없고 화를 내는 것 같지도 않고, 단호박처럼 무신경하네요. 사흘이나 세수를 안 한 것 같은 얼굴입니다. 추악한 느낌마저 듭니다. 하지만 작가의 평소 얼굴은 이 정도로 충분합니다. 점점 진짜가 되기 시작했는지도 모릅니다. 다시 말해, 진짜 속물이지요.

나머지는 전부 미타카로 이사 온 후에 찍은 사진입니다. 사진을 찍어주는 사람도 많아져서, 오른쪽 보고, 예, 왼쪽 보고, 예, 살짝 웃고, 예, 이런 식으로 사람들의 명령대로 포즈를 취했습니다. 시시한 사진뿐입니다. 두세 장, 재미있는 사진도 있습니다. 아니, 우스꽝스러운 사진이라고 하는 편이 맞겠습니다. 알몸 사진이 한 장 있네요. 이건 시마 온천에 I군과 함께 갔을 때, I군이 내가 막 탕에 들어가는 장면을 몰래 찰칵 찍은 것입니다. 옆모습이어서 살았습니다. 정면이었다면, 견딜 수 없을 겁니다. 아슬아슬한 순간이었습니다. 그래도 이건 I군에게 부탁해, 원판 필름도 받아냈습니다. 추가 인화라도 하면 큰일 날 테니까요. I군은 내 사진을 많이 찍어주었습니다.

이건 올해 정월에 K군과 둘이서 예복을 차려입고 이부세 씨가 부재중인 집(작가 이부세 마스지 씨는 그 전해 늦가을 군대 보도반원으로 징집되어 남방으로 파견되었습니다.)에 새해 인사를 드리러 갔을 때, 마침 I군도 국민복을 입고 새해 인사차 와 있었는데, 그때 I군이 우리 두 사람을 정원 앞에 세워놓고 찍은 것입니다. 안 어울리는군요. 묘합니다. K군은 그렇다 쳐도, 예복 차림의 내 모습은 정말 이상하네요. K군의 평에 따르면, 모세가 예복을 입은 것 같다는데, 그런가요? 어찌 됐든 정상은 아닙니다. 얼굴이 너무 앙상해서 더 커진 것 같네요.

보세요. 이건 친구 하나가 출판 기념회 때 찍어준 사진인데, 이렇게 많은 얼굴이 나란히 있는 가운데 유난히 큰 얼굴이 하나 있습니다. 내 얼굴입니다. 하고이타(羽子板) 나무채*가 쭉 진열되어 있는데, 그중에 유난히 큰 것을 본

* 새 깃털로 만든 하고(羽子)를 채로 치고 받으며 노는 놀이로 배드민턴과 비슷하다. 나무채는 예쁜 인형이 그려져 있고, 탁구채와 비슷하게 생겼다.

세 살짜리 꼬마 아가씨가, 나 저거 갖고 싶어, 사줘, 하고 떼를 쓰니까, 가게 주인이 답하기를, 아가씨 저건 안 돼요, 저건 나무 간판이에요, 라고 했다는 웃긴 이야기가 떠오릅니다. 이렇게 얼굴이 크면, 도무지 연애도 할 수 없습니다. 내가 가부키 배우를 닮았다고 하네요. 웃으면 안 됩니다. '지저분한 역'의 가부키 배우입니다. 그것도 마지막에는 이발소에 들어가 싹 깔끔해지는 장면도 없이, 끝날 때까지 '지저분'한 역이라고 하네요. '분장'이니 뭐니 그런 게 아니라, 진짜로 '지저분'했답니다. 연기도 뭐도 아닙니다. 그래도 왠지 모르게 닮았다는군요. 말하자면, 멋지다는 거죠. 그냥 취향이 독특한 여자가 나타나기를 기다리는 수밖에 방법이 없습니다.

신이 나서 바보 같은 소리만 했군요. 당신 같은 사람이 왜 그런 바보 같은 얘기를 하나요, 그만하세요, 손님들한테 경멸만 당할 뿐이에요, 좀 더 진지한 이야기는 못 하나요? 마치 삼류 극작가 같아요, 라고 아내에게 충고를 들은 적도 있지만, 괴로울 때, 솔직하게 괴로운 표정을 짓는 사람은 행복한 사람입니다. 긴장했을 때, 그대로 긴장된 자세를 취할 수 있는 사람은 행복한 사람입니다. 나는 괴로울 때, 으하하 하고 바보처럼 웃고 싶어지니 큰일입니다. 속으로는 엄청 긴장하고 있을 때도, 불쑥 바보 같은 이야기를 하고 싶어지니 큰일입니다. "웃으면서, 엄숙한 말을 하라!" 니체도 멋진 말을 하네요. 하지만 나는 화가 날 때는, 진심으로 화를 냅니다. 내 표정에는, 분노와 웃음, 두 가지밖에 없는 것 같습니다. 의외로 표정이 빈약한 남자입니다. 그래도 요즘은 화도 1년에 한 번 정도만 내려고 합니다. 대개는 참으며 웃고 있으려고 마음먹습니다. 그 대신 화를 낼 때는, 아니, 협박성 말투는 그만두겠습니다. 나 스스로도 불쾌합니다. 화를 낼 때는, 화를 낼 때입니다.

이 사진을 보세요. 이건 최근에 찍은 사진입니다. 점퍼에 반바지로 가벼운 옷차림입니다. 유모차를 밀고 있네요. 이건 내 어린 딸아이를 유모차에 태우고, 근처 이노가시라 공원 자연문화원에 있는 공작을 보여주러 가는 길입니다. 행복해 보이는 풍경이네요. 언제까지 이어질지. 다음 페이지에는 어떤 사진이 실리게 될까요. 의외의 사진이?

미남과 담배

나는 오늘날까지 혼자서 싸워왔다고 생각하지만, 왠지 아무래도 패할 것 같아 불안해서 견딜 수가 없어졌습니다. 하지만 설마 지금까지 내내 경멸해온 자들에게, 부디 저도 동료로 끼워주세요, 제가 나빴습니다, 하고 이제 와서 부탁할 수도 없습니다. 나는 역시 홀로, 싸구려 술 따위를 마시면서, 나의 싸움을 계속해 나갈 수밖에 달리 방법이 없습니다.

나의 싸움. 그것은 한마디로 말하면, 옛것과의 싸움입니다. 흔해빠진 잘난 척에 대한 싸움입니다. 뻔히 들여다보이는 체면에 대한 싸움입니다. 쩨쩨한 것, 쩨쩨한 자를 향한 싸움입니다.

나는 신에게도 맹세할 수 있습니다. 나는 그 싸움 때문에, 내가 가진 모든 것을 잃었습니다. 그러고도 여전히 나는 홀로, 늘 술을 마시지 않고는 견딜 수 없을 것 같은 기분이고, 그리고 아무래도, 패할 것 같은 생각이 들게 되었습니다.

구세대 사람들은 심술궂습니다. 이러쿵저러쿵 진부하기 짝이 없는 문학론이니, 예술론이니, 부끄러운 줄도 모르고 늘어놓으며, 죽을힘을 다해 돋아나는 새싹을 짓밟고, 그것도 모자라 그 자신의 죄악을 조금도 깨닫지 못하는 모습을 보면 기가 막힙니다. 밀어도 당겨도, 꿈쩍도 하지 않습니다. 그저 목숨이 아까워서, 돈이 아까워서, 그리고 출세하여 처자식을 기쁘게 해주고 싶어서, 그것 때문에 패거리를 만들고, 무조건 자기 동료를 치켜세우며, 말하자면 일치단결하여 쓸쓸한 외톨이를 괴롭힙니다.

나는 패할 것 같아졌습니다.

며칠 전, 어디서 싸구려 술을 마시고 있는데, 나이 든 문학자 세 명이 들어오더니, 그 사람들과 나는 전혀 알지도 못하는데, 갑자기 나를 둘러싸고는, 아주 칠칠치 못하게 술에 취해, 내 소설에 대해 완전히 말도 안 되는 험담을 하는 것이었습니다. 나는 아무리 술을 마셔도, 흐트러지는 건 아주 싫어하는 성격이라, 그 험담도 웃어넘기고 말았지만, 집에 돌아와 늦은 저녁을 먹다가 너무도 분해서 울컥 오열이 터지자, 멈출 수가 없어, 밥그릇도 젓가락도 내려놓고, 엉엉 북받쳐 울며, 옆에 있던 아내에게,

"사람이, 사람이, 이렇게, 목숨 걸고 필사적으로 쓰고 있는데, 다들 아무렇지도 않게 놀리고…… 그 사람들은 선배야, 나보다 열 살 스무 살이나 많다고, 그러면서 다들 똘똘 뭉쳐 날 비난하려고만 하고, …… 비겁해, 야비해, …… 이제 됐어, 나도 이제 더 이상 조심하지 않을 거야, 선배들 험담을 거리낌 없이 말할 거야, 싸울 거라고, …… 너무 심하잖아."

하고 황당한 소리를 중얼거리며, 점점 더 격하게 우니까, 아내가 어이가 없다는 얼굴로,

"자요, 어서."

하며 나를 이부자리로 데려갔지만, 누워 있어도 그 분한 오열이 좀처럼 멎지 않았습니다.

아아, 살아간다는 것은, 싫은 것이다. 특히 남자는, 괴롭고 슬픈 법이다. 어쨌든 무엇이든 싸워서 이기지 않으면 안 되니까.

그 분한 울음을 터뜨린 날로부터 며칠 후, 어느 잡지사의 젊은 기자가 찾아와서 나에게 묘한 말을 했습니다.

"우에노의 부랑자를 보러 가지 않겠습니까?"

"부랑자?"

"예, 같이 있는 사진을 찍고 싶어서요."

"내가, 부랑자와 같이 있는 걸?"

"그렇습니다."

그렇게 대답하고 가만히 있습니다.

왜, 하필 나를 골랐을까요. 다자이 하면 부랑자. 부랑자 하면 다자이. 뭐 그런 인과관계라도 있는 걸까요.

"가죠."

나는 울상을 짓고 싶을 때, 오히려 순간적으로 바로 상대에 맞서는 성격이 있는 것 같습니다.

나는 바로 일어서서 양복으로 갈아입고, 내 쪽에서 그 젊은 기자를 다그치듯 하며 집을 나섰습니다.

겨울의 추운 아침이었습니다. 나는 손수건으로 콧물을 누르며 말없이 걷는데, 정말이지 우울한 기분이었습니다.

미타카 역에서 국철로 도쿄 역까지 가서 시 전철로 갈아타고, 그 젊은 기자의 안내를 받아, 일단 본사에 들러 응접실로 따라가니, 바로 위스키를 대접해주었습니다.

생각해보니, 다자이 그게 소심한 사람이라, 위스키라도 먹여서 기를 좀 북돋아주지 않으면, 부랑자와 제대로 대화도 못 할 게 틀림없어, 하고 본사 편집부의 호의에서 나온 조치였는지도 모르지만, 솔직히 말하면, 그 위스키는 대단히 기괴한 물건이었습니다. 나 역시 지금까지 온갖 수상쩍은 술을 마셔온 남자이고, 절대 고상한 척하는 건 아니지만, 그래도 혼자 마시는 위스키는 처음이었습니다. 세련된 상표 따위가 붙어 있고 번듯한 병이었지만, 내용물은 탁했습니다. 위스키 막걸리라고나 할까요.

하지만 나는 그걸 마셨습니다. 벌컥벌컥 마셨습니다. 그리고 응접실에 모여 있던 기자들에게도, 안 마실래요? 하고 권했습니다. 하지만 다들 희미하게 웃으며 마시지 않습니다. 거기에 모여 있던 기자들이 대부분 굉장한 술꾼이라는 걸 나는 소문으로 들어 알고 있었습니다. 하지만 마시지 않습니다. 그런 술고래들도, 위스키 막걸리는 꺼리는 것 같았습니다.

나만 술에 취해,

"뭐야, 자네들, 실례가 아닌가. 자네들도 못 마실 정도의 희한한 위스키를 손님한테 권하다니, 심하잖나."

하고 웃으며 말하니, 기자들은 이제 슬슬 다자이도 취하기 시작했어, 술기운이 사라지기 전에 부랑자와 만나게 해야 해, 하며 기회를 놓치지 않고 나를 자동차에 태워 우에노 역에 데리고 가, 부랑자 소굴로 불리는 지하도로 이끌고 가는 것이었습니다.

하지만 기자들의 이 용의주도한 계획도 그다지 성공이

라고는 할 수 없는 것 같았습니다. 나는 지하도로 내려가 아무것도 보지 않고, 그저 똑바로 걸어가다가 지하도 출구 가까이의 닭꼬치 가게 앞에서 소년 네 명이 담배를 피우고 있는 것을 보고, 몹시 기분이 나빠 다가갔습니다.

"담배는 피우지 마. 담배를 피우면 오히려 배가 더 고픈 법이야. 피우지 마. 닭꼬치 먹고 싶으면 사줄게."

소년들은 피우다 만 담배를 순순히 버렸습니다. 다들 열 살 안팎의 진짜 아이들입니다. 나는 닭꼬치집 주인에게,

"이봐요, 이 애들한테 한 꼬치씩."

그러고는 정말 이상하게 한심한 느낌이 들었습니다.

이것도 선행이라는 게 될까, 참을 수가 없군. 나는 갑자기 발레리의 어떤 말이 떠올라, 더더욱 참을 수가 없어졌습니다.

만약, 그때의 내 행동이 속물들에게 조금이라도 다정한 짓으로 보였다면, 나는 발레리에게 어떤 경멸을 당한다 해도 어쩔 수 없었습니다.

발레리의 말, —— 선(善)을 행할 때는 언제나 사죄하면서 해야 한다. 선만큼 타인에게 상처 주는 것은 없으니까.

나는 감기에 걸린 것 같은 기분이 들어, 등을 구부린 채 성큼성큼 지하도 밖으로 나가버렸습니다.

너덧 명의 기자들이 내 뒤를 쫓아와서,

"어떻습니까? 완전히 지옥이죠?"

다른 한 명이,

"어쨌든 별세계니까요."

또 다른 한 명이,

"놀랐죠? 감상이 어떻습니까?"

나는 소리 내어 웃었습니다.

"지옥? 설마. 난 하나도 안 놀랐어."

그렇게 말하고 우에노 공원 쪽으로 걸어가, 나는 조금씩 수다를 떨기 시작했습니다.

"사실 난 보고 온 게 아무것도 없어. 나 자신의 괴로움만 생각하면서, 오로지 진실함만을 보고 지하도를 빠져나왔을 뿐이네. 하지만 자네들이 특별히 나를 선택해 지하도를 보여준 이유는 알았지. 그건, 분명 내가 미남이기 때문이야."

다들 큰 소리로 웃었습니다.

"아니, 농담이 아냐. 자네들은 알아차리지 못했나? 난 앞만 보고 쭉 걸었는데도, 그 어두침침한 구석에 드러누운 부랑자 대부분이 얼굴 생김새가 단정한 미남들뿐이라는 걸 발견했어. 다시 말해 미남은 지하도 생활로 전락할 가능성을 다분히 갖고 있다는 거지. 이봐, 자넨 피부가 희고 미남이니까 위험해. 조심하라고. 나도 조심하겠지만."

또 다들 와하하 웃었습니다.

자만하고, 또 자만하며, 남이 뭐라 해도 자만하다가, 문득 정신을 차리니 내 몸은, 지하도 한구석에 드러누워, 어느새 인간이 아니었던 것입니다. 나는 그저 지하도를 지나가기만 했을 뿐인데도, 그런 전율을 절절히 느꼈습니다.

"미남은 그렇다 치고, 또 다른 것도 뭔가 찾았습니까?"

하고 누가 묻자, 나는,

"담배야. 그 미남들은 술에 취한 것 같진 않았는데, 담배만큼은 거의 피우고 있었네. 담배가 싸진 않을 텐데. 담배 살 돈이 있으면 거적 한 장도, 나막신 한 켤레도 살 수 있지 않을까? 콘크리트 바로 위에 드러누워 맨발을 하고 담배를 피우고 있어. 인간은, 아니, 지금의 인간은 밑바닥으로 떨어져도, 알몸뚱이가 되어도, 담배를 안 피우면 안 되게 되어 있는 모양이야. 남 일이 아냐. 왠지 나도 그런 기분을 짐작할 수 있을 것 같네. 결국 내가 지하도 행이 될 거라는 게 더 짙게 현실성을 띠게 된 것 같아."

우에노 공원 앞 광장으로 나갔습니다. 조금 전의 소년 네 명이 겨울 한낮의 햇살을 받으며, 너무도 즐겁게 장난치며 놀고 있었습니다. 나는 저절로 그 소년들 쪽으로 어슬렁어슬렁 다가갔습니다.

"그대로, 그대로."

기자 한 명이 카메라를 우리 쪽을 향하며 외치더니, 찰칵 하고 사진을 찍었습니다.

"이번엔, 웃어요!"

그 기자가 렌즈를 들여다보며 또 그렇게 외치고, 소년 하나가 내 얼굴을 보면서 "얼굴 마주 보고 있으면 그냥 웃음이 나와."

하며 웃기에, 나도 따라서 웃었습니다.

천사가 하늘을 날아다니다가, 하나님의 뜻에 따라 날개가 사라지고, 낙하산처럼 세상 여기저기에 내려앉습니다. 나는 북쪽 나라 눈밭 위에 내려앉고, 너는 남쪽 나라 귤밭 위에 내려앉고, 그리고 이 소년들은 우에노 공원에 내려앉은 것, 다른 건 오직 그것뿐, 앞으로 쑥쑥 크더라도, 소년들이여, 외모에는 절대 무관심하고, 담배를 피우지 말고, 술도 축제날 말고는 마시지 말며, 그리고 얌전하고 조금은 멋쟁이 아가씨에게 느긋하게 마음을 주렴.

부기.

이때 찍은 사진을 나중에 기자가 가져왔다. 서로 웃고 있는 사진, 그리고 또 한 장은 내가 부랑자 아이들 앞에 쭈그리고 앉아, 한 아이의 발을 쥐고 있는 참으로 묘한 포즈의 사진이었다. 만약 이것이 후일, 어느 잡지에라도 게재될 경우, 다자이는 아니꼬운 놈이네, 자기가 예수라도 된 양, 요한복음에서 제자 발을 씻겨주는 모습을 흉내 내고 있군, 우웩, 하고 오해를 불러일으킬 염려가 없다고 할 수 없기에 한마디 변명하자면, 나는 그저 맨발로 걷고 있는 아이의 발바닥이 어떨까 하는 호기심만으로 그런 행동을 했을 뿐이다.

또 하나 웃긴 이야기를 덧붙인다. 그 두 장의 사진이 도착했을 때, 나는 아내를 불러,

"이게 우에노의 부랑자야."

하고 말해주었더니, 아내는 진지하게,

"아아, 이게 부랑자예요?"

하며 찬찬히 사진을 들여다보는데, 문득 아내가 뚫어지게 보고 있는 곳을 보다가 내가 놀라서,

"당신, 뭘 착각을 하고 있는 거야. 그건 나라고. 당신 남편이잖아. 부랑자는 그쪽이고."

아내는 고지식함이 지나칠 정도의 성격으로, 농담 같은 소리를 할 수 있는 여자가 아니다. 정말로 내 모습을 부랑자라고 오해한 것 같다.

1947년 《사양》이 베스트셀러가 되어 다자이는 인기 작가가 되었다. 이 글은 1948년 잡지사 《일본소설》로부터 전쟁으로 집을 잃은 사람들에 대한 취재 의뢰를 받았을 때의 경험을 바탕으로 쓴 것으로, 세상을 떠나기 석 달 전에 쓴 글이다.

4장

나는 내 작품과 함께 살아 있다

난처함의 변명

솔직히 말해, 나는 이 잡지(《현상계》)로부터 원고 청탁을 받고, 조금 난처했다. 승낙의 답장을 선뜻 쓸 수가 없었다. 그것은 내 거만함 때문은 아니다. 전혀, 오히려 그 반대다. 나는 이 잡지를 딱히 비속하다고는 생각하지 않는다. 비속하다면, 어떤 잡지든 다 비속하다. 거기에 발표된 작품도 다 비속하다. 나 역시 원래부터 비속한 작가다. 내가 멋대로 남의 비속함을 조롱할 수 없다. 사람은 저마다 필사적인 삶의 방식이 있다. 그것은 존중되어야 한다.

내 난처함은 다른 데에 있다. 그건 바로 내가 전혀 대작가가 아니라는 것이다. 이 잡지의 8월 초순 호, 9월 하순 호, 10월 하순 호, 세 권을 편집자가 내게 보내주었는데,

쭉 훑어보니, 이 잡지의 독자는 다들 이제부터 '문학이라는 것'을 해보고 싶어 마음이 움직이기 시작한 사람들인 것 같다. 마음이 그런 상태에 있을 때, 사람은 커다란 하늘을 올려다보는 듯한, 티 하나 없이 고귀한 희망을 품고 있는 법이다. 그리고 그 희망은 남도 자신도 속이지 않는 작품을 쓰겠다는 구체적인 것이 아니라, 그저 막연히, 세상에 이름을 떨치겠다는 야망인 것이다. 그건 당연한 것으로, 전혀 비난받을 거리가 아니다. 평소에 동료에게서 경멸당하고, 부모 형제에게 걱정을 끼치고, 아내와 연인에게까지 믿음을 얻지 못하다가, 좋다, 그럼 나도 분발하자, 옛날에 바이런이라는 사람은 어느 날 아침 눈을 뜨니 자기 이름이 온 세상에 알려져 있었다고 하지 않았는가, 해보자, 라는 데에 이르기까지의 경위는 누구에게나 있는 법으로, 지극히 자연스러운 인간의 감정이다. 그럴 때, 그 사람이 벅찬 마음으로 책방에 달려가, 먼저 이 잡지《현상계》를 집어 들고 펼쳐보니, 다자이 뭔가 하는, 듣도 보도 못한 이상한 이름을 가진 사람이 가르치려는 듯이 쓰고 있는 것이다. 정말 김새네, 하고 생각한다.

그 사람의 머릿속에 있는 것은 나쓰메 소세키, 모리 오가이, 오자키 고요, 도쿠토미 로카, 그리고 얼마 전 문화 훈장을 받은 고다 로한, 그런 문호들 이외의 사람은 중요하지 않은 것이다. 하지만 그건 당연하다. 문호 이외에는 중요하지 않다고 하는 그 사람의 태도는 아주 올바른 것이다. 언제까지나 그런 태도를 지켜주면 좋겠다고 생각한다. 비참한 것은, 이 잡지에 가르치려는 듯이 뭔가를 중얼중얼 써놓은 다자이라는 남사다.

전혀 유명하지 않다. 이 잡지의 독자는 다들 이제부터 문학을 해보겠다는, 세상에 이름을 떨치겠다는, 소위 청춘의 꿈을 가지고 있다. 조금의 비굴함도 없다. 어깨를 펴고 푸른 하늘을 바라보고 있다. 상처 하나 받지 않았다. 티끌 하나 없다. 그런 사람에게, 다자이라는 어설픈 작가의 추하게 쉰 목소리의 중얼거림이 과연 들릴까. 내 난처함은 바로 거기에 있다.

나는 지금까지 좋은 소설은 하나도 쓰지 못했다. 전부 다 남의 흉내를 낸 것이다. 학문이 아니다. 아직 서른한 살이다. 풋내기다. 아직 세상을 모른다는 말을 들어도 어쩔 수가 없다. 아무것도 없다. 자랑할 만한 것도 없다. 오로지 하나, 겨자씨만 한 프라이드가 있다. 그건 내가 바보라는 말이다. 완전히 무익한, 길바닥 위의 고생뿐, 그것도 내가 원해서 10년 동안 몸부림쳐온 것이다. 하지만 생각해보면, 그것은 독자 여러분이 앞으로 문호가 되는 데에 조금도 필요한 것이 아니다. 쓸데없는 고생은, 피할 수 있다면 피하는 게 좋다. 그 어떤 것도, 총명함보다 나은 것은 없다. 하지만 나는 어지간히 머리가 나빠서, 게다가 주제도 모르고 자만심까지 있어서, 남들이 말려도 듣지 않고, 괜찮아, 괜찮아, 하며 남자의 용기라며 헤엄도 못 치면서 깊은 못에 뛰어들었다가, 금세 어푸어푸, 차마 눈 뜨고 볼 수 없는 꼴이었다. 그런 멍청한 작가가, 미래의 오가이, 소세키를 꿈꾸는 이 잡지의 독자에게, 도대체 어떤 말을 하면 좋단 말인가. 참으로 곤혹스럽다.

나는 오히려 악명이 높은 작가다. 온갖 곡해를 받고 있는 모양이다. 하지만 그건 역시 내가 모자란 탓이라고 생각한다. 정말이지 힘들다. 이제는, 느긋하게 헤쳐 나갈 생각이다. 나는 머리가 나빠서, 한꺼번에 모든 것을 해결하지는 못한다. 더듬더듬, 느릿느릿 기어가는 것 말고 달리 방법이 없다. 오래 살고 싶다고 생각한다.

마음 상태가 그렇기 때문에, 나는 여러분에게 해줄 만한 말이 하나도 없다. 오직 하나, 겨자씨만 한 프라이드가 있다고, 조금 전에 썼지만, 지금은 그것도 없애버리고 싶은 기분이다. 바보 같은 고생은 자랑이 될 수 없다. 하지만 나는 지푸라기 한 올에 매달린 심정으로, 지금까지의 어리석은 고생에 집착하고 있다는 것도 고백해야 한다. 만약 할 말이 있다면, 단지 그것 하나뿐이다. 나는 이런 바보 같은 고생을 했고, 그렇게 했는데도 아무것도 안 되었으니까, 적어도 그대만이라도 자중하여 이런 바보 같은 흉내는 따라 하지 않도록, 그런 지극히 소극적이고 무력한 충고 정도는, 나도 할 수 있을 것 같다. 등대가 높은 데서 밝게 빛을 비추고 있는 것은, 등대가 스스로를 자랑하고 있는 것이 아니라, 이곳은 위험하니까 가까이 오면 안 된다는 충고의 의미인 것이다.

내가 사는 곳에도 두세 명의 학생이 찾아온다. 나는 그때도, 지금과 똑같은 난처함을 느낀다. 그들은 물론 내 소설을 읽지 않는다. 그들 역시 청운의 꿈을 품고 있기 때문에, 내 소설을 경멸하고 있다. 또 그래야만 한다고 생각한다. 내 소설 따위 읽을 시간이 있으면, 외국의 일류 작가나 일본의 고전을 더, 더, 읽어야 할 것이다. 꿈은 클수록 좋은 것이다. 그렇다면 그렇게 내 소설을 경멸하면서도, 왜 나한테 오는 걸까. 오기 쉽기 때문이다. 그것 말고 이유는 없는 것 같다. 현관문을 드르륵 열면, 바로 눈앞에 내가 앉아 있다. 집이 좁은 것이다.

애써 찾아와준 것이다. 설마하니 악의를 품고, 멀리서 이런 촌구석까지 찾아오는 사람은 없을 테다. 나는 나에 대한 호의에 보답해야 한다. 들어오게, 잘 왔네, 하고 말한다. 나는 전혀 대단한 사람이 아니기 때문에, 손님을 현관에서 내쫓는 일은 도저히 할 수 없다. 나는 그렇게 바쁜 남자도 아니다. '망중(忙中)에 손님 사절' 같은 멋진 말은 나는 영원히 할 수 없을 것이다.

나보다 더 대단한 작가가 일본에 많이 있으니까, 그 사람들에게 가보게. 분명 얻을 게 많을 것이네, 하고 나는 언젠가 어느 학생에게 진지하게 말한 적이 있는데, 그때 그 학생이 싱긋 웃으며, 가봤자, 우리 같은 사람은 만나주지 않을 거예요, 하고 솔직하게 대답한 것이다. 그럴 일은 없을 거야, 만나주지 않으면, 주먹밥이라도 싸 들고 문밖에서 기다리면서, 하룻밤이든 이틀 밤이든 버티는 거야, 정말로 그 사람을 존경한다면, 그런 온당치 못한 행동도 꼭 나쁘다고는 할 수 없어, 하고 나는 여전히 진지하게 말했지만, 학생이 이번에는, 깔깔 웃음을 터뜨리며, 그 정도로 존경하는 사람은 일본 작가 중에는 없어요, 괴테나 다빈치의 제자가 되는 거라면, 그만한 고생쯤은 해도 되겠지만, 하고 큰 소리를 치며 탁자 위의 찐빵 하나를 잽싸게 입에 넣었다. 때 묻지 않은 청춘 시절의 희망은 전부 이렇게 커야 한다. 나는 그 학생에게 아무 말도 할 수 없어졌다. 나는 경멸을 받고 있다. 하지만 그 경멸은 옳은 것이다. 나는 가난하고, 게으름뱅이에, 학식도 없으며, 그리고 참으로 어설픈 소설만 쓰고 있다. 경멸받는 게 지당하다.

자네는 괴로운가, 하고 나는 천진한 손님에게 묻는다. 그야, 괴롭죠, 하고 찐빵을 삼키며 대답한다. 분명 괴로울 것이다. 청춘은 인생의 꽃이라지만, 또 한편으로는, 초조와 고독의 지옥이다. 어찌해야 할지 모르는 것이다. 괴로운 건 분명하다.

그렇군, 하고 나는 고개를 끄덕이며, 그 괴로움을 주체할 수 없어서 내가 사는 이곳까지 이렇게 찾아온 것인가, 어쩌면 '다자이도 의외로 좋은 말을 해줄지도 모르지, 아냐, 역시 그 녀석은 안 될까?' 그런 생각으로 망설이다가 여기에 온 건가, 만약 그렇다면, 난 안 돼, 자네에게 하나도 좋은 걸 가르쳐줄 수가 없네. 무엇보다, 지금 나 자신이 위태위태하네. 나는 머리가 나빠서, 아무것도 모르네. 그저, 나는 지금까지 바보 같은 실수만 저질러왔으니까, 내 바보 같은 흉내는 내지 말라고, 몇 번이고 말해주고 싶을 뿐이네. 학교를 게을리해선 안 되네. 낙제하면 안 되네. 커닝을 해도 좋으니까, 학교만큼은 제대로 졸업해야 해. 가능한 한 책을 많이 읽게. 카페에 가서 돈을 낭비해서는 안 되네. 술을 마시고 싶으면, 친구나 선배들이랑 쇠고기전골이나 먹으면서 비분강개하게나. 그것도 일주일에 한 번 이상은 안 되네. 외로움을 견뎌야 해. 사흘을 견디고도 외로우면, 그건 병이야. 냉수마찰을 시작하게. 반드시 복대를 차야 해. 남한테 돈을 빌리지 말게. 굶어 죽는 한이 있어도 돈은 빌리면 안 돼. 세상은 사람이 굶어 죽게 내버려두지는 않아. 안심해도 돼. 사랑은 반드시 짝사랑인 채로 간직하게. 여자한테 사랑을 고백하는 건 남자의 수치야. 마음은 마음으로 통한다, 그것만 믿고 느긋하게 기다리게. 세상만사, 안달해서는 안 되네. 소세키는 마흔에 소설을 쓰기 시작했어.

바보 같은 내가 해줄 수 있는 최대한의 충고는 이렇게 참으로 고상하지 못한 것들뿐이어서, 그 학생은 배를 움켜쥐고 큰 소리로 웃었지만, 이 잡지의 독자들 또한, 내일의 오가이, 소세키, 괴테를 꿈꾸고 있을 게 분명하기 때문에, 전혀 유명하지도, 대단하지도 않은 이 작가의 무섭도록 수준 낮은 외침에는 분명 실소를 터뜨렸으리라. 그래도 괜찮다. 희망은 클수록 좋은 것이다.

마음의 왕

얼마 전, 미타*에서 어린 학생 두 명이 우리 집을 찾아 왔습니다. 나는 하필 몸이 좋지 않아 누워 있었는데, 금방 끝날 이야기라면, 하고 이불 속에서 빠져나와, 솜옷 위에 하오리를 걸치고 만났습니다. 두 사람 다 아주 예의가 바르고, 용건을 빨리 끝내고는 바로 일어났습니다.

요컨대, 이 신문에 수필을 쓰라는 용건이었습니다. 내가 보기에는, 둘 다 열예닐곱 살쯤으로밖에 보이지 않는 온후한 소년이었지만, 그래도 역시 스무 살이 넘었겠지요. 요즘은 도무지, 사람의 나이를 짐작할 수가 없어졌습니

* 도쿄의 게이오 대학 미타 캠퍼스를 말한다.

다. 열다섯 살이든 서른 살이든 마흔 살이든, 또는 쉰 살이든, 똑같은 일에 화내고, 똑같은 일에 웃고 기뻐하고, 또 마찬가지로 조금은 간사하고, 또 마찬가지로 나약하고 비굴하고, 실제로 사람의 심리만 보고 있으면, 사람의 나이 차 같은 건 헷갈려 알 수 없어지고, 어찌 되든 상관이 없어집니다. 며칠 전의 두 학생도 열예닐곱으로 보이기는 했지만, 그 말투에는 약간의 밀고 당기는 느낌도 있고, 꽤 어른스러운 데가 있었습니다. 말하자면, 신문 편집자로서 이미 한 가정을 이루고 있는 사람입니다. 두 사람이 돌아간 후 나는 하오리를 벗고 그대로 또 이불 속으로 들어가 잠시 생각을 했습니다. 지금의 학생 여러분의 처지가 가엽다는 생각이 들었습니다.

학생이란 사회의 어느 부분에도 속하지 않는 것입니다. 또한 속해서는 안 되는 것이라고 생각합니다. 학생이란 본래, 푸른 망토를 걸치고, 차일드 해럴드*가 아니면 안 된다고, 나는 고지식하게도 믿고 있는 사람입니다. 학생은 사색의 산책자입니다. 푸른 하늘의 구름입니다. 완벽한 편집자가 되어서는 안 됩니다. 완벽한 공무원이 되어서는

* 바이런의 시집 《차일드 해럴드의 순례(Childe Harold's Pilgrimage)》에 등장하는 인물. 권태를 극복하기 위해 모험을 떠나는 차일드 해럴드에게서 방황하는 젊음의 고뇌와 희망, 열정을 느낄 수 있다.

안 됩니다. 완벽한 학자조차도 되어서는 안 됩니다. 연륜이 풍부한 사회인이 된다는 것은 학생에게는 두려운 타락입니다. 학생 자신의 죄는 아닐 것입니다. 분명 누군가가 그렇게 되도록 만들었겠지요. 그래서 나는 학생들이 가엽다고 말하는 것입니다.

그렇다면 학생 본래의 모습은 어떤 것일까요. 그에 대한 답으로 나는 실러의 서사시 한 편을 여러분들에게 들려주겠습니다. 실러는 더 많이 읽어야 합니다.

지금 이 시국에서는 더더욱 열심히 읽어야 합니다. 대범하고 강인한 의지와 가능한 한 밝고 높은 희망을 갖기 위해서라도, 여러분은 지금 실러를 생각하고 애독하는 것이 좋습니다. 실러의 시 중에 〈지구의 분배〉라고 하는 재미있는 시 한 편이 있는데, 그 시의 의미는 대충 다음과 같습니다.

"받아라, 이 세계를!" 하고 신의 아버지 제우스는 천상에서 인간에게 호령했다.

"받아라, 이 세계는 너희들의 것이다. 너희들에게 나는 이것을 유산으로, 영원한 영지로 나누어주겠다. 자, 사이좋게 나누어 가지는 것이다."

그 목소리를 듣고, 순식간에 앞다투어, 손이 달린 사람들은 우왕좌왕 서로 자기의 몫을 가져갔다. 농민이 들판에 경계의 말뚝을 박고, 그곳을 경작해 논밭을 일구자, 지주가 팔짱을 끼고 나와 큰소리를 쳤다. "그 7할은 내 것이다!" 또 상인은 창고 가득 물자를 모으고, 장로는 귀하고 오래된 포도주를 찾아다니고, 귀족들은 싱그러운 푸른 숲 둘레에 잽싸게 밧줄을 치고, 그곳을 자신의 즐거운 사냥과 밀회의 장소로 만들었다. 시장(市長)은 거리를 빼앗고, 어부는 물가에 자신의 거처를 정했다.

모든 분할이 한참 전에 다 끝나버린 후, 시인이 느릿느릿 찾아왔다. 그는 아득히 멀리서 찾아왔다. 아아, 그때는 어디에도 아무것도 남은 게 없고, 모든 땅에는 땅주인의 명패가 붙어 있었다.

"이이, 매정하구나! 왜 나만, 아무도 돌봐주지 않는 거지? 이 나를, 당신의 가장 충실한 자식을?" 하고 큰 소리로 불만을 외치며, 그는 제우스의 옥좌 앞으로 뛰어들었다.

"네 멋대로 꿈의 나라에서 우물쭈물하고 있다가 왜 이제 와서" 하고 신은 가로막았다. "나를 원망할 건 없다. 너는 도대체 어디에 있었느냐. 다들 지구를 나눠 갖고 있을 때."

시인은 대답했다. "저는 당신 옆에 있었습니다. 눈은 당신의 얼굴을 바라보고, 귀는 천상의 음악에 홀려 있었습니다. 이 마음을 용서해주십시오. 당신의 빛에 멍하니 취해서, 지상의 일을 잊고 있었던 것을."

그러자 제우스는 다정하게 말했다. "어떻게 하면 좋겠느냐? 지구는 전부 다 나누어주었다. 가을도, 사냥도, 시장도, 이제 더는 나의 것이 아니다. 네가 이 천상에서, 나와 함께 있고 싶다면, 가끔 찾아오너라. 이 자리는 너를 위해 비워두마!"

어떻습니까? 학생 본래의 모습이란, 바로 이 신의 총아, 이 시인의 모습임에 틀림없습니다. 지상의 일이라면 자랑할 게 아무것도 없다 해도, 그 자유롭고 고귀한 동경에 의해 가끔은 신과 함께 살 수도 있는 것입니다.

이 특권을 자각하십시오. 이 특권을 자랑스러워하십시오. 영원히 여러분이 가질 수 있는 특권이 아닙니다. 아아, 그것은 정말로 짧은 기간입니다. 그 기간을 부디 소중히 하십시오. 절대 자신을 더럽혀서는 안 됩니다. 지상의 역할을 맡는 것은 학교를 졸업하면, 싫어도 각자의 역할을 맡게 되는 것입니다. 상인이 될 수도 있습니다. 편집자가 될 수도 있습니다. 공무원이 될 수도 있습니다. 하지만 신의 옥좌에 신과 나란히 앉을 수 있는 것, 그것은 학창 시절이 지나면 절대로 불가능합니다. 두 번 다시 돌아오지 않습니다.

미타의 학생 여러분. 여러분은 언제나 '육지의 왕'을 노래하는 동시에, 또한 남몰래 스스로 '마음의 왕'임을 믿어야 합니다. 신과 함께 지내는 시기는 여러분의 생애에, 바로 지금, 단 한 번뿐입니다.

1940년 게이오 대학 신문 《미타 신문》의 의뢰를 받고 쓴 글이다. 《미타 신문》은 일본 최초의 학생 신문으로 1971년에 폐간되었다.
마지막에 나오는 '육지의 왕'은 게이오 대학 응원가의 한 구절에서 인용된 말로, '육지의 왕'으로 그치지 않고 '마음의 왕'이 되라고 말하고 있다.

부엉이 통신

무사히, 큰 임무를 마쳤습니다. 어떤 임무인지, 당신은 모르겠지요. "이제부터 여행을 떠납니다"라는 말만 엽서에 써서 알려주었을 뿐, 어디로 뭘 하러 가는지는 당신에게 말하지 않았습니다. 부끄러웠습니다. 그리고 당신이 그걸 알면, 늘 그랬듯 걱정하며 이런저런 충고, 훈계를 시작하지나 않을까 두려워, 일부러 목적은 말하지 않고 여행을 떠났습니다. 며칠 전, 내 시시한 단편소설이 라디오에 방송되었을 때도, 나는 아무에게도 알려지지 않기를, 하고 기도했습니다. 특히, 당신이 듣는다면, 그야말로 쥐구멍이라도 있으면 들어가야 할 것 같은 기분이었습니다. 참으로 시시한 소설이었습니다. 나는 늘, 쩨쩨한 주제에 돈을 흥청망청 써버리는 성격이라, 도무지 돈이 남아나지를 않습니다. 눈앞의 한 푼을 아끼려다 큰 손해를 본다고나 할까요. 게다가 가난을 견디는 힘도 약해서, 무리한 일도 덥석 맡습니다. 돈이 필요한 겁니다. 라디오 방송용 소설 같은 것도 나 같이 촌스러운 시골뜨기는 아무리 해도 잘 쓸 수 없다는 걸 알면서도, 덥석 맡아버립니다. 시골뜨기 주제에 화려한 것을 동경하는 애달픈 약점도 있겠지요. 며칠 전의 라디오는 당신에게는 들려주고 싶지 않아서, 당신을 만나도 그 이야기는 한마디도 하지 않고, 내내 숨기고 있었는데, 이 무슨 불운인지, 당신이 우에노의 밀크홀에서 우연히 그걸 들었다며, 다음날 격식 차린 감상문을 길게 보내왔기에, 나는 얼굴이 빨개져 어쩔 줄을 몰랐습니다. 이번 여행도 아무에게도 알리지 않고, 영원히 침묵할 생각이었지만, 애초에 소심한 내가 도저히 끝까지 감출 수 없을 것 같아서, 오히려 지금은 이 여행의 부끄러움을 모조리 당신에게 말하고 있는 것입니다. 그러는 편이 좋습니다. 나중에는 나도 마음이 후련해지겠지요. 감추어 봤자 언젠가는 꼭 밝혀집니다. 라디오 방송 때도 그랬습니다. 미련 없는 태도를 보이기로 하겠습니다. 나는 지금 니가타의 여관에 있습니다. 일류 여관인 것 같습니다. 지금 내가 있는 이 방도, 이 여관에서 가장 좋은 방인 것 같습니다. 나는 도쿄의 명사 취급을 받고 있습니다. 나는 오늘 오후 1시부터 니가타 고등학교에서 두 시간 가까이 강연을 했습니다. 큰 임무라는 건 그 일이었습니다. 나는 그럭저럭 큰 임무를 마쳤습니다. 그리고 지금 여관으로 돌아와, 당신에게 거짓 없는 보고서를 쓰고 있는 참입니다.

오늘 아침, 니가타에 도착했습니다. 역에는 학생 두 명이 마중을 나와 있었습니다. 학예부 위원인지도 모릅니다. 우리는 역에서 여관까지 걸었습니다. 몇백 미터쯤 되었을 겁니다. 나는 아시다시피 거리를 가늠하는 게 서툴러 몇백 미터인지 말할 수는 없지만, 여하튼 20분 가까이 걸었습니다. 니가타의 거리는 이상하게 먼지가 많고 메말라 있었습니다. 버려진 신문지가 바람에 날려, 넓은 도로 위를 모형 군함처럼, 날렵하게 스르륵 달리고 있었습니다. 도로는 강처럼 넓습니다. 전차 레일이 없어서 더더욱 하얗고 휑하게 보이는 것이겠지요. 반다이 다리도 건넜습니다. 시나노 강의 어귀입니다. 별다른 느낌도 없었습니다. 도쿄보다 조금 추운 것 같습니다. 망토를 입고 오지 않은 게 아쉬웠습니다. 나는 감색 무명 기모노에 하카마를 입고 왔습니다. 모자는 쓰지 않았습니다. 털실 목도리와 두툼한 셔츠 한 장은 가방에 넣어 왔습니다. 여관에 도착해, 나는 바로 누웠습니다. 하지만 잠이 전혀 오지 않았습니다.

정오 조금 전에 일어나, 밥을 먹었습니다. 생연어가 맛있다고 생각했습니다. 시나노 강에서 잡은 것 같습니다. 미소시루의 두부가 아주 부드럽고 고급스러워, 니가타의 두부가 유명합니까, 하고 하녀에게 물으니, 글쎄요, 그런 얘기는 듣지 못했는데요, 네, 하고 대답했습니다. '네' 라는 말의 말투에 특징이 있습니다. 경쾌한 느낌의 '네' 입니다. 1시 가까이 되자, 학생들이 자동차로 데리러 왔습니다. 학교는 해안가 모래 언덕 위에 지어졌다고 합니다. 자동차 안에서,

"수업 중에도 파도 소리가 들리겠네."

"그렇지는 않아요." 학생들은 마주 보며 웃음을 터뜨렸습니다. 나의 노쇠한 로맨티시즘이 웃겼는지도 모릅니다.

정문 앞에 차를 내려서 보니, 학교는 떫은 감색의 목조 건물로, 나지막해서 모래 언덕 그림자 속에 숨어 있는 막사 같았습니다. 현관 옆의 창에서 여자의 웃는 얼굴이 서넛, 나를 엿보고 있는 게 느껴졌습니다. 사무실의 사람들이겠지요. 나는 조금 더 좋은 옷을 입고 올 걸, 하고 생각했습니다. 현관에 올라갈 때도, 내 나막신이 허름해 살짝 기가 죽었습니다.

교장실로 따라가면서 나는 그저 두리번두리번하고 있

었습니다. 안내해준 학생들이, 예전에 이 학교에 아쿠타가와 류노스케도 강연하러 왔는데, 그때 강당의 조각을 칭찬해주고 갔어요, 하고 내게 말해주었습니다. 나도 뭔가 칭찬해야 하는 건가 싶어 주변을 둘러보았지만, 칭찬하고 싶은 것도 없었습니다.

잠시 후에 나온 주임 선생과 인사를 나누고 강연장으로 들어갔습니다. 강연장에는 학생들 외에 일반 시민들도 모여 있었습니다. 한쪽 구석에 여자 대여섯 명이 모여 앉아 있었던 것 같습니다. 내가 들어가자, 박수 소리가 났습니다. 나는 살짝 웃었습니다.

"특별한 준비도 하지 않았습니다. 숙소에 누워 생각해봤지만, 정리가 잘 안됐습니다. 이렇게 될지도 모른다고 생각해, 제 창작집 두 권을 품에 넣어 도쿄에서 가져왔습니다. 역시 이걸 읽을 수밖에 없겠네요. 읽다가 뭔가 생각나는 게 있으면, 그때 또 말씀드리겠습니다."

나는 〈추억〉이라고 하는 초기 작품을 1장만 읽었습니다. 그리고 사소설에 대해서 조금 이야기했습니다. 고백의 한도라는 것도 언급했습니다. 그때그때 떠오른 것을, 부끄러운 감정을 억누르며, 더듬더듬 말했습니다. 자기 폭로의 밑바닥에 깔린 애정에 대해서도 말해보았습니다. 얼마쯤 이야기를 하다 보니 점점 말하기가 싫어졌습니다. 이야기가 끊겨버렸습니다. 나는 물을 네다섯 잔 마시고, 다른 창작집 한 권을 꺼내, 〈달려라 메로스〉라고 하는 근작을 큰 소리로 읽어보았습니다. 그러자 또 하고 싶은 말이 생겨, 물을 마시고, 이번에는 우정에 대해 이야기했습니다.

"청춘은 우정의 갈등입니다. 우정에서 순수성을 증명하려 애쓰다가, 서로 상처받고, 끝내는 반미치광이의 순수 놀음에 빠지는 일도 있습니다" 하고 말했습니다. 그리고 소박한 신뢰에 대해서 말했습니다. 실러의 시를 하나 알려주었습니다. 이상을 버리지 마라, 라고 했습니다. 온 힘을 다했습니다. 내 강연은 그것으로 끝났습니다. 한 시간 반이 걸렸습니다. 이어서 좌담회가 열릴 예정이었는데, 위원이, 피곤한 것 같은데 좀 쉬세요, 하고 권했지만, 나는,

"아니요, 전 괜찮습니다. 여러분들이 피곤했겠죠" 라고 하니, 장내에 웃음소리가 났습니다. 지쳐 녹초가 되면, 나는 오히려 그때부터 아주 오래 견딜 수 있습니다. 당신과 똑같습니다.

10분 동안, 다들 그 자리에 앉은 채 쉬었습니다. 그러고 나서 나는 학생들 한가운데로 자리를 옮겨 질문을 기다렸습니다.

"조금 전에, 어린 시절 이야기를 쓰신다고 했는데, 아이의 마음으로 완전히 돌아가기도 어려울 테고, 역시 작가

로서 어른의 마음도 얼마쯤 포함되어 있을 것 같은데요."

지당한 질문입니다.

"아니, 그 문제라면 저는 걱정하지 않습니다. 왜냐하면 전 지금도 아이니까요." 다들 웃었습니다. 나는 웃기려고 한 말은 아니었습니다. 나의 한탄을 진지하게 대답한 것이었습니다.

질문은 별로 없었습니다. 할 수 없이 나는 독백하듯 이런저런 이야기를 했습니다.

사람은 왜 감사합니다, 미안합니다, 같은 인사말을 해야 하는 걸까. 무언가를 느꼈을 때, 사람은 반드시 그 무언가를 말해야 한다. '말하지 않으면 알 수 없다'라는 건 분위기를 깨는 것. 비굴은 수치가 아니다. 피해망상이라고 흔히 말하는 마음의 상태가 꼭 정신병은 아니다. 자기 제어, 겸양도 아름답지만, 태평한 얼굴의 왕도 아름답다. 어느 쪽이 신과 가까운지, 그건 나도 모른다.

이것저것 생각나는 대로 말했습니다. 죄의식에 대해서도 말했습니다. 이윽고 위원이 일어서서 "그럼 이걸로 좌담회를 마치겠습니다" 라고 하니, 뭔지 모를 힘 빠진 안도감 비슷한 웃음소리가 청중들 사이로 퍼져갔습니다.

이것으로 내 일은 끝났습니다. 아니, 뜻 맞는 학생들과 '이탈리아 집'이라고 하는 동네 양식당에서 함께 저녁을 먹고 나면, 그제야 나는 자유로운 몸이 되는 것입니다. 또 박수를 받으며 강연장을 나가, 어두침침한 교장실로 가서 주임 선생과 잠시 이야기를 나누고, 홍백색의 리본으로 예쁘게 묶은 종이 꾸러미를 받고 교문을 나섰습니다. 문 옆에는 학생 대여섯 명이 멍하니 서 있었습니다.

"바다 보러 가자" 하고 말을 건네고 나는 성큼성큼 바닷가 쪽으로 걸어갔습니다. 학생들은 말없이 따라왔습니다.

일본해. 당신은 일본해를 본 적이 있습니까. 검은 물. 단단한 파도. 사도(佐渡) 섬이 드러누운 소처럼 느긋하게 수평선에 가로놓여 있습니다. 하늘도 낮고 바람도 없는 조용한 해 질 녘이었지만, 하늘에는 갈기갈기 새까만 구름이 헤엄치고 있어 음울했습니다. 거친 바다여 사도 섬에, 하고 읊조린 바쇼의 상심을 알 것도 같았지만*, 그 할아버지 의외로 엉큼한 사람이라, 여관에 드러누워 태평하게 지은 시일지도 모릅니다. 깜빡하고 속을 수는 없습니다. 저녁 해가 가라앉고 있습니다.

"너희들은 아침 해를 본 적이 있니? 아침 해도 역시 이렇게 클까. 난 아직 아침 해를 본 적이 없어."

"전 후지산에 올랐을 때, 아침 해가 뜨는 걸 봤어요." 한

* "거친 바다여 사도 섬 위에 누운 은하수" 라고 하는 마쓰오 바쇼의 하이쿠가 있다.

학생이 대답했습니다.

"그때 어땠어? 역시 이렇게 컸어? 이렇게 이글이글 끓으면서 피 같은 느낌이 들었어?"

"아뇨, 왠지 다른 것 같아요. 이렇게 슬프지 않았어요."

"그런가. 역시 다른가. 아침 해는 역시 위대해. 신선해. 저녁 해는 왠지, 좀 비린내가 나. 지친 물고기 냄새가 나지."

모래 언덕이 조금씩 어두워졌습니다. 멀리 드문드문 산책하는 사람의 모습도 보입니다. 사람의 모습 같지 않고, 까마귀처럼 보였습니다. 이 모래 언덕은 해마다 조금씩 바다에 먹혀 사라지고 있다고 합니다. 멸망의 풍경입니다.

"이건 좋군. 잊지 못할 추억의 하나야." 나는 아니꼬운 말을 했습니다.

우리는 바다와 헤어져, 니가타의 마을로 걸어갔습니다. 어느새, 등 뒤의 학생이 열 명이 넘어버렸습니다. 니가타의 마을은 신개척지 같은 느낌이었는데, 그래도 여기저기 오래된 폐가가 헐기도 번거롭다는 듯이 남아 있고, 그걸 보니 묘하게 문화가 느껴져 메이지 시대 초 번성했던 항구였다는 것이 나처럼 둔감한 여행자에게도 느껴집니다. 골목길로 들어가니, 거리 중앙에 폭이 3미터쯤 되는 강이 흐르고 있습니다. 대부분의 골목길에 그런 강이 있습니다. 어디로 흐르는지 모를 정도로, 느릿느릿 흘러갑니다. 도랑물을 닮았습니다. 물도 탁해서 불결한 느낌입니다. 양쪽 물가에는 꼭 버드나무가 나란히 서 있습니다. 버드나무는 꽤 커서, 긴자의 버드나무보다는 진짜 같은 느낌이 듭니다.

"물이 맑으면 물고기가 살지 않는다지만," 나는 또 시시한 소리를 주절거렸습니다. "이렇게 물이 더러워도 역시 살 수 없겠지."

"미꾸라지는 살겠죠." 학생 하나가 대답했습니다.

"미꾸라지? 뭐야, 말장난이네." '버드나무 아래 미꾸라지*'라는 말로 장난을 친 것이겠지만, 나는 시시한 말장난을 좋아하지 않는 성격인데다, 젊은 학생이 그런 말장난을 하며 우쭐대는 모습이 한심스러웠습니다.

'이탈리아 집'에 도착했습니다. 여기는 유명한 곳인 것 같습니다. 당신도 어쩌면 이름은 들어봤는지 모르겠지만, 메이지 초기에 어느 이탈리아인이 만든 가게라고 합니다. 2층 홀에 그 이탈리아인이 일본 옷을 입고 찍은 큰 사진

* 버드나무 아래서 미꾸라지를 한 번 잡았다고 해서 늘 잡는 것은 아니라는 뜻의 속담으로, 한 번 행운을 잡았다고 해서 늘 그렇게는 되지 않는다는 의미이다.

이 걸려 있습니다. 모라에스 씨*를 닮았습니다. 확실치는 않지만, 외국의 서커스 단원으로 일본에 와서 그 서커스에서 버림을 받았지만, 열심히 노력해 니가타에서 양식당을 열어 크게 성공했다는 이야기였습니다.

학생이 열대여섯 명에 선생이 두 명, 함께 저녁을 먹었습니다. 학생들도 점점 제멋대로 말하기 시작했습니다.

"다자이 씨는 좀 특이한 사람이 아닐까 생각했어요. 근데 의외로 상식적인 사람이네요."

"생활은 상식적으로 하려고 조심하고 있어. 창백한 우울 같은 건, 오히려 통속적이니까."

"저 혼자 작가랍시고 사는 게 나쁘다고 생각하지는 않나요? 작가가 되고 싶어도 꾹 참고 다른 일에 파묻혀 사는 사람도 있을 텐데요."

"그 반대야. 달리 뭘 해도 안 되니까 작가가 됐다고 할 수도 있는 거지."

"그럼 저도 희망이 있는 거군요. 뭘 해도 안 되거든요."

"자넨 지금까지 아무것도 실패한 게 없잖아. 안 될지 어떨지, 그건 스스로 실제로 해보면서 넘어지고 상처받고, 그러고 나서가 아니면 할 수 없는 말이야. 아무것도 안 했

* 포르투갈의 외교관이자 문필가로, 일본 포르투갈 영사관의 총영사를 지냈다.

으면서 나는 안 된다고 단정해버리는 것, 그건 나태야."

저녁 식사가 끝나고 나는 학생들과 헤어졌습니다.

"대학에 들어가서 괴로운 일이 생기면 상담하러 와. 작가가 무용지물일지는 몰라도, 그럴 때 아주 조금은 고마운 데도 있는 법이야. 공부해. 헤어지면서 해주고 싶은 말은 그것뿐이야. 여러분, 공부하세요."

학생들과 헤어지고 나서, 나는 아주 조금만 술을 마시러 어느 가게에 들어갔습니다. 그 집의 여자가 내 모습을 보더니, "손님, 검도 선생이시죠?" 하고 태연하게 말했습니다.

검도 선생은 진지한 얼굴로, 이제 막 여관에 돌아와 하카마를 벗고, 바로 책상 앞에 앉아, 이 편지를 쓰기 시작했습니다. 비가 내리기 시작했습니다. 내일 날이 맑으면, 사도 섬에 가볼 생각입니다. 사도 섬에는 전부터 가보고 싶었습니다. 이번 니가타 고등학교에 초대받아 떠나온 것도 사실은 사도 섬에 가보고 싶은 마음이 있었기 때문입니다. 강연은 그다지 수행이 되지 않습니다. 검도 선생도 딱 하루면 충분합니다.

부엉이가
홀로 웃는구나

가을 저물녘

기가쿠*의 시일 겁니다.
11월 16일 한밤중.

1940년 다자이는 니가타 고등학교에서 처음으로 강연을 했다. 니가타 고등학교 출신으로 도쿄대학 문학부 학생이던 노모토 히데오의 요청으로 이루어졌다.
강연을 의뢰하러 다자이의 집을 방문한 노모토는 다자이가 사도 섬에 대해 했던 말이 기억난다고 했다.
"니가타에 갔다가 사도 섬에 가볼까 하네. 사도는 죽을 만큼 쓸쓸한 곳이겠지. 그런 곳에 한번쯤 가보고 싶어."

* 다카라이 기카쿠. 에도 시대 하이쿠 시인.

《이부세 마스지 선집》 후기

올여름, 나는 몸이 좀 좋지 않아 자리에 누웠다 일어났다 하며 지냈는데, 그동안의 내 독서는 거의 이부세 씨의 책뿐이었다. 지쿠마쇼보 출판사의 고다 씨가 이부세 씨의 선집 엮는 일을 부탁하기도 해서였지만, 이런 기회를 이용해, 내가 거의 25년 동안 변함없이 경애해온 이부세 마스지라는 작가의 작품을 전부 새롭게 다시 읽어보는 것도, 다자이라고 하는 어리석은 제자의 입장에서는 흔치 않은 좋은 약이 될지도 모른다는, 조금은 이기적인 기대도 없지 않았기 때문이다.

25년 동안이라고? 활자가 잘못된 거 아닌가? 다자이는 이제 서른아홉이다. 39에서 25를 빼면 14다.

하지만 절대 활자가 잘못된 것이 아니다. 나는 열네 살 때부터 이부세 씨의 작품을 애독해온 것이다. 25년 전, 아마 대지진이 일어난 해였을까, 이부세 씨는 어느 작은 동인 잡지에 처음으로 작품을 발표하였고, 그 당시 북쪽 끝 아오모리에 사는 중학교 일학년생이던 나는 그 글을 읽고 가만히 앉아 있을 수 없을 정도로 흥분했다. 그것은 〈도롱뇽〉이라는 작품이었다. 동화라고 생각하며 읽은 것이 아니다. 그 당시 나는 이미 꽤 소설에 정통하다고 남몰래 자처하고 있었다. 그리고 〈도롱뇽〉을 접하고, 나는 묻혀 있는 무명의 불우한 천재를 발견했다는 생각에 흥분한 것이다.

거짓말 아냐? 다자이는 허풍을 잘 떨어. 도쿄의 문학자들조차 알아보지 못한 소품을, 촌구석의, 그것도 혼슈 북단의 아오모리 따위에 사는 중학교 일학년생이 발견할 리가 없어, 하고 이부세 씨의 창작집이 대여섯 권이나 나와서야 겨우 이부세 마스지라는 이름을 발견했다고 하는 '인격자'들은 말할지도 모르지만, 나는 조금도 거짓말을 하고 있지 않다.

내 큰형도 둘째 형도 셋째 형도 소설을 무척 좋아해서, 여름방학 때 각자 도쿄의 학교에서 시골 생가로 돌아올 때, 다양한 신간을 가져와 여름밤에 문학론 같은 이야기로 논쟁을 벌이고는 했다.

구보타 만타로, 요시이 이사무, 기쿠치 간, 사토미 돈, 다니자키 준이치로, 아쿠타가와 류노스케, 다들 신진 작가인 듯했다. 나는 그야말로 시골 아이일 뿐이었지만, 형들의 문학서는 몰래 모조리 독파했었고, 또 형들의 토론을 들으면서, 그건 아냐, 하고 입 밖으로 내지는 않았지만 마음속으로 몰래 생각하기도 했다. 그리고 중학교에 들어갈 무렵에는, 다시 말해 나는, 나 자신의 문학 감식안에 꽤 자신감을 갖고 있었던 것이다.

분명, 간토대지진이 일어난 해였던 것 같다. 그해 여름 나는 어머니와 숙모, 누나들과 사촌누나들, 그 밖에도 여럿이서 아사무시 온천 여관에서 놀며 지냈는데, 그때, 몇째인 막내 형이 도쿄에서 내려와 잠시 우리와 함께 머물며 도쿄 문단에 대한 이야기를, 군데군데 소문을 섞어가며 (이 형은 농담을 잘했다) 우리에게 들려주었다. 이 형은 우에노에 있는 미술학교의 조각과에 입학했는데, 조각보다 문학이 더 좋았는지 《십자가》라는 동인잡지의 동인이 되어 그 표지 그림을 그리기도 하고 작품도 발표하고 있었다. 하지만 나는 형의 조각도, 그림도, 또한 글도 그다지 훌륭하다고는 생각하지 않았다. 그림 같은 것도 그냥 비싼 그림물감을 쓰기만 할 뿐, 달리 감탄할 만한 곳을 찾을 수 없었다. 이 형이 그해 여름에, 도쿄의 동인잡지를 서른 종류쯤 가져와, 그 무렵 유행하는, 느닷없이 활자를 크게 하거나 일부러 활자를 거꾸로 세워놓은, 이를테면 회화적 수법 같은 것을 집어넣은 기묘한 작품을 어지간히 즐거워하며, "앞으로는 이런 작품을 이해하지 못하면 문학을 말할 자격이 없어" 라는 말로 우리를 놀라게 했다. 하지만 나는 그런 작품에는 전혀 관심이 없었다. 그런 작품을 굉장히 재미있어하는 형을 경박하다고까지 생각했다.

그리고 나는 그때, 동인잡지 한 권의 한쪽 구석에서 이부세 씨의 작품을 발견하고는, 앉아 있을 수가 없을 정도로 흥분해, "이런 게 좋은 거예요!" 하며 형에게 읽어보라고 했지만, 형은 심드렁한 얼굴로 뭔가 웅얼웅얼 (뭐라고 했는지 지금은 기억나지 않지만) 얼버무릴 뿐이었다. 하지만 나는 확신했다. 그 서른 종류쯤의 동인잡지에 실린 모든 작품 중에서, 천재의 작품은 이부세 씨의 〈도롱뇽〉과 쓰보타 조지 씨의, 제목은 잊어버렸지만, 아이를 주제로 한 단편소설뿐이라고 생각했다.

나는 나 자신이 소설을 쓴다는 것은 옛날부터 지금까지, 아예, 전혀, 애초에 자신이 없다고 생각하며 살아왔지만, 그래도 남의 작품을 감상하는 것, 그것만큼은, 흔들림

없는 확실한 자신이 있다고 생각한다.

나는 그때 이후로, 형들이 여름방학 때마다 도쿄에서 가져오는 다양한 문학잡지 중에서 이부세 씨의 작품을 찾아서 읽고, 그때마다 정말로 쾌재를 외쳤다.

드디어, 이부세 씨의 첫 단편집《깊은 밤과 매화》가 신초사에서 출판되었는데, 그때 내가 고등학교에 들어갔는지는 잘 모르겠지만, 어쨌든 여름방학 때 고향의 생가에서 그걸 읽고, 또 그 단편집 첫머리에 실린 저자의 최근 사진을 보며, 이부세 씨의 차분하고 무서운, 웃음기가 전혀 없는 풍모를 처음으로 접하고, 역시 내가 일찍이 짐작했던 풍모와 조금도 다르지 않다는 것을 알고 완전히 마음을 놓았다.

지금도 분명히 기억하는데, 나는 그 단편집을 읽고 감개가 무량해, 그 책을 품속에 넣고 고향 들판의 연못가로 가서, 고개 숙인 채 돌아다니며, 그 단편집 안의 작품 전부를 처음부터 하나하나 음미해보면서, 왠지 하늘의 계시와도 같이, 정말로 뭔가 육체적인 실감처럼 '괜찮다'라는 확신을 얻은 것이다. 앞으로 누가, 어떤 곳에서 공격해온다고 해도 이 작가는 괜찮을 거라는 안심이 들었기 때문에, 나는 정말로 만족스러웠다.

그 이후부터다. 나는 25년간, 이부세 씨의 작품을 쭉 신뢰해왔다. 아마 내가 고등학교에 들어간 해였던 것 같은데, 나는 더는 참을 수 없어, 이부세 씨에게 편지를 보냈다. 그리고 이건 참으로 쓴웃음이 나는 일이지만, 나는 이부세 씨의 작품을 읽고 그의 생활이 그다지 편하지 않은 것 같다는 생각이 들어, 아주 적은 금액의 수표를 동봉했다. 그리고 이부세 씨로부터 고지식한 문장의 답장을 받고, 하늘을 날 듯이 기뻐 도쿄의 대학에 입학하자마자 하카마를 입고 이부세 씨 댁을 찾아갔고, 그 후로 많은 가르침을 받으며 생활면에까지 큰 도움을 받았다. 그리고 지금 그 이부세 씨의 선집 엮는 일을 지쿠마쇼보로부터 의뢰받아 감개무량한 것이다.

쓸데없이 내 이야기만 많이 쓴 것 같지만, 작가가 다른 작가의 작품 해설을 할 때, 특히 그 작가가 거의 가족이나 마찬가지로 가까운 사이일 때는, 대단히 미묘한, 그야말로 징검돌을 깡충깡충 뛰어넘으며 뜰의 보드라운 이끼를 밟지 않도록 조심조심하는 마음이 필요하기 때문에, 가차 없는, 다시 말해 이부세 마스지를 평하는 일은 나는 영원히 하지 않을 생각이다. 할 수 없는 것이 아니라, 하지 않는 것이다.

그렇기 때문에, 앞으로 나는 이 선집의 전권을 해설할 때도, 작품 하나하나에 얽힌 나 자신의 추억이나, 또는 이부세 씨가 그 작품을 쓰고 있었을 때 우연히 내가 찾아가서 본 그때의 이부세 씨의 모습 등을 기록하는 것으로 그칠 생각이다. 그러는 편이 오만하게 내리누르는 이부세 평론보다 이 선집을 읽는 독자의 순수한 감상을 덜 방해하는 것이 아닐까 생각한다.

선집 1권에는 이부세 씨의 첫 단편집《깊은 밤과 매화》중 거의 전부를 수록하고 거기에 〈골짜기〉 한 편을 더했다. 〈골짜기〉는《깊은 밤과 매화》에는 실리지 않은 작품이지만, 거의 동시대 작품이고, 페이지 수를 맞춰야 해서 1권에 넣었다.

이 작품들은 전부 나에게도 추억이 많아서, 지금 그 목차를 하나하나 옮겨 적고 있으니, 세상에 보기 드문 보석을 하나하나 나열해놓는 듯한 기분이 들었다.

구치스케는 유모차를 밀다가 종종 멈춰 서서 허리띠를 다시 매는 버릇이 있고, 도롱뇽은 "나한테도 괜찮은 생각이 있어" 하고 마치 결심이라도 한 듯 중얼거리지만, 뭐 하나 제대로 된 생각은 없고, 골짜기의 노인은 말에 올라타 위엄 있는 연설을 하려고 하지만, 말은 노인의 의지를 무시한 채 하염없이 걸어가고, 그는 연설을 하면서 마지못해 나그네처럼 길로 나와, 다시 북쪽을 향해 가야만 하는 것이다.

무심코, 한마디, 비평 같은 감회를 말하고 싶어지지만, 독자의 감상을 오로지 한쪽으로만 고정시키는 것을 나는 극도로 두려워한다. 아무것도 말하지 않겠다. 그저 천천히, 여러 번, 되풀이해서 읽어주십시오. 좋은 예술이란, 이런 것이니까.

1947년, 늦가을.

1947년 지쿠마쇼보 출판사는 작가 이부세 마스지의 선집 출간을 계획하면서 다자이에게 그 편집을 의뢰했다. 다자이는 각 선집에 후기를 실었는데, 작업 도중 세상을 떠나는 바람에 4편까지만 집필했다. 이 글은 선집 1권의 후기다.

나의 반생을 말하다

성장과 환경

나는 시골의 소위 부자라는 말을 듣는 집에서 태어났습니다. 형과 누나가 여럿 있고, 막내로 아무 불편 없이 자랐습니다. 그 때문에 세상 물정 모르는 부끄럼 많은 아이가 되어버렸습니다. 이런 나의 부끄러움이 왠지 남들 눈에는 내가 그것을 뽐내는 것처럼 보이지는 않을까 하고 마음이 쓰입니다.

나는 남에게 말도 제대로 못 붙일 정도로 여린 성격으로, 그렇기 때문에 생활력도 제로에 가깝다고 자각하며 어릴 때부터 지금까지 살아왔습니다. 그래서 나는 오히려 염세주의라고 해도 좋은 사람으로, 그다지 삶에 의욕을 느끼지 않습니다. 아이 때부터 그저 한시라도 빨리 이 생활의 공포에서 도망치고 싶다, 이 세상과 헤어지고 싶다고만 생각해온 성격이었습니다.

이런 나의 성격이 내가 문학에 뜻을 두게 된 동기가 되었다고도 말할 수 있겠지요. 자라난 가정과 가족, 또는 고향이라는 개념, 그런 것들이 여간해서 뿌리 뽑히지 않을 만큼 깊이 박혀 있는 것 같은 기분이 듭니다.

내 작품 안에서, 내가 태어난 집을 자랑스러워하는 것처럼 보일지도 모르지만, 오히려 그것은 우리 집의 실제 크기보다 더 조심스럽게, 거의 절반으로, 아니, 그보다 더 부끄러워하며 말한 정도입니다.

하나를 보면 열을 알듯이, 왠지 나는 항상 그것으로 말미암아 남에게 비난받고, 적대시되는 것 같은, 그런 공포감에 늘 사로잡혀 있습니다. 그래서 일부러 가장 밑바닥 생활을 하기도 하고, 또는 아무리 더러운 것이라도 아무렇지도 않게 되겠다고 다짐했지만, 그렇다고 설마하니 내가 망나니 같은 인간은 아닙니다.

그것이 남들이 내가 우쭐해한다고 생각하는 첫 번째 원인이 된 것 같습니다. 하지만 내게 말해보라고 한다면, 그것이 내 나약함의 첫 번째 원인이기에, 그 때문에 내 몸에 붙어 있는 전부를 내다 버리고 싶다는 생각을 몇 번이나 했는지 모릅니다.

예를 들어 여자를 사귈 때도, 내게도 가끔은 여자가 호의를 보일 때가 있었지만, 내가 그런 부자의 자식으로 태어났기 때문에 여자가 호의를 보인 것일 뿐이라고 남들이 생각하는 게 싫어서, 연애조차 몇 번이나 스스로 단념한 적도 있습니다.

실제로 나의 형은 지금 아오모리 현의 민선 지사이지만, 그런 말을 여자에게 한마디라도 하면, 그걸 빌미로 여자를 유혹하는 것으로 여겨질까 봐, 오히려 늘 연극을 하는 것처럼, 나 자신이 하찮게 보이도록, 거의 멍청이라고 해도 좋을 만큼의 노력을 하며 살아왔습니다. 하지만 이것은 나 자신도 힘에 겨워, 도저히 해결할 방법을 아직 찾지 못했습니다.

문단 생활? ……

내가 아직 도쿄대학 프랑스 문학과에서 갈팡질팡하고 있던 스물다섯 살 때, 가이조사(社)의 《문예》라는 잡지에서 단편을 하나 써보라는 말을 듣고, 그때, 마침 갖고 있던 〈역행〉이라는 글을 보냈습니다. 그것이 두세 달쯤 후, 여러 선배들과 나란히 신문 광고에 이름이 큼직하게 실렸고, 훗날 제1회 아쿠타가와 상 후보에 올랐습니다.

그 〈역행〉과 거의 비슷한 시기에 동인잡지 《일본 낭만파》에 〈어릿광대의 꽃〉이 발표되었습니다. 그것이 사토 하루오 선생의 추천을 받았고, 그 후로 문학잡지에 차례차례 작품을 발표할 수 있었습니다.

그래서 나도 문단 생활이라고 할까, 어쩌면 소설을 쓰면서 살아갈 수 있지 않을까 하는 희미한 희망을 갖게 되었습니다. 그때가 연대로 보면, 대략 1935년 무렵입니다.

돌이켜 보면, 문학을 지향하게 된 뚜렷한 동기는 나 스스로도 잘 모르겠고, 거의 무의식이라고 해도 좋을 만큼 언제부터인지도 모르게 문학의 들판을 걷고 있었던 것 같은 느낌이 듭니다. 정신을 차려보니 나아갈 길도 천 리, 되돌아갈 길도 천 리, 이러지도 저러지도 못하고 문학의 들판 한복판에 서 있는 것을 깨닫고 아주 놀랐다는 것이 가장 진실에 가까울 것입니다.

선배, 그리고 좋아하는 사람들

내가 사귀고 싶은 선배는 이부세 마스지 씨 한 사람이라고 해도 좋을 정도입니다. 그리고 평론가 중에서는, 가와카미 데쓰타로, 가메이 가쓰이치로, 이 사람들도 잡지

《문학계》가 계기가 되어 술친구가 되었습니다.

좀 더 연배가 있는 선배로는, 이건 교우라고 하면 실례일지도 모르겠지만, 저를 댁으로 초대해주신 사토 하루오 선생과 도요시마 요시오 선생입니다. 그리고 이부세 씨는 지금의 아내를 소개해주었을 만큼 가까운 사이입니다.

이부세 씨의 경우, 초기의 《깊은 밤과 매화》라는 책에 실린 여러 작품은 마치 보석을 나열해놓은 것 같은 인상을 받았습니다. 또 가무라 이소타 같은 사람도 예전부터 아주 훌륭한 사람이라고 생각하고 있습니다.

이것은 나약한 성격의 인간이 가진 특징인지도 모르겠지만, 나는 남들이 지나치게 떠들어대거나 존경하는 작품에 대해서는 일단 의혹을 품는 버릇이 있습니다.

메이지 시대의 문단이라면 구니기다 돗포의 단편이 아주 훌륭하다고 생각합니다.

프랑스 문학은 19세기라면 대체로 다들 발자크, 플로베르, 그런 소위 대문호를 진심으로 존경하지 않으면 왠지 문인 자격이 부족하다는 식의 이상한 상식이 있는 것 같지만, 나는 그런 대문호의 작품은 사실 그다지 좋아하지 않습니다. 오히려 알프레드 뮈세나 알퐁스 도데 같은 작가를 남몰래 애독하고 있습니다. 러시아라면 톨스토이, 도스토옙스키 등에 다들 감탄하지 않으면 역시 문인의 자격이 없다는 것이 상식이지만, 그리고 또한 그건 분명히 사실이겠지만, 그래도 나는 체호프 같은 작가, 그리고 러시아라면 누구보다도 푸시킨 하나라고 해도 좋을 만큼 그에게 깊이 빠져 있습니다.

나는 괴짜가 아니다

지난달 호《소설 신초》의 '이야기의 샘'이라는 문단 모임에서, 나를 괴짜라고 하기도 하고 망나니 같다고도 한 모양입니다. 또 내 소설도 그저 유별나고 진기한 정도라는 말이 나왔다기에, 나는 남몰래 울적한 기분이 들었습니다. 세상 사람들에게 괴짜나 기인이라고 불리는 인간은 의외로 나약하고 배짱이 없는 사람이 자신을 보호하기 위해 그렇게 위장을 하고 있는 경우가 많은 게 아닐까 생각합니다. 역시 생활에 자신감이 없는 데서 생겨난 것이 아닐까요.

나는 나 자신이 괴짜라고도, 이상한 사람이라고도 생각한 적이 없고, 지극히 평범한, 또한 옛 도덕에도 크게 구애받는 성격의 남자입니다. 그런데도 내가 도덕 같은 건 아예 무시한다는 식으로 생각하는 사람이 많은 것 같지만, 사실은 그 정반대입니다.

하지만 나는 앞에서도 말했듯이, 나약한 성격이기 때문에, 그 나약하다는 것만큼은 인정해야 한다고 생각합니다. 나는 남과 논쟁을 하지도 못합니다. 이 역시 내 나약함이라고 할 수도 있겠지만, 거기에는 왠지 나의 기독교주의 같은 것도 조금은 포함되어 있는 것 같습니다.

기독교주의라고 했는데, 나는 지금 그야말로 말 그대로 폐가에 살고 있습니다. 나도 남들만큼의 집에서 살고 싶다고 생각합니다. 아이들이 불쌍하다고 생각할 때도 있습니다. 하지만 나는 도저히 좋은 집에서 살 수가 없습니다. 이것은 프롤레타리아 의식이니, 프롤레타리아 이데올로기니, 그런 데서 배운 것이 아니라, 예수가 '너 자신을 사랑하는 것처럼 네 이웃을 사랑하라'고 한 말을 내가 이상하게 고집스레 믿어버린 것 같습니다. 그런데 나 자신을 사랑하는 것처럼 이웃을 사랑한다는 것은 도저히 불가능한 일이라고, 요즈음 절실히 느낍니다. 인간은 전부 다 똑같다, 그런 사상은 그저 사람을 자살로 내몰기만 하는 것이 아닐까요.

'너 자신을 사랑하는 것처럼 네 이웃을 사랑하라'라는 예수의 말을 내가 분명 잘못 해석한 것이 아닐까, 거기에는 좀 더 다른 의미가 있는 게 아닐까? 그렇게 생각했을 때, '너 자신을 사랑하는 것처럼'이라는 말이 떠올랐습니다. 역시 나 자신도 사랑해야 한다, 나 자신을 미워하고 학대하여 남을 사랑하는 것이라면 자살밖에 없다는 게 당연하다는 것을 어렴풋이 깨닫게 되었지만, 그것은 그저 이론일 뿐입니다. 세상 사람들을 대하는 내 감정은 여전히 늘 부끄러움이며, 키를 두 치쯤 낮춰서 걸어야만 할 것 같은 심정으로 살아왔습니다. 그리고 이런 것에도 내 문학의 근거가 있는 것 같은 느낌이 듭니다.

또한 나는 사회주의라는 것이 역시 옳다고 느낍니다. 그리고 지금 겨우 사회주의 세상이 된 것 같고, 가타야마 총리 같은 사람이 일본의 수장이 된 것은 역시 기쁜 일이 아닐까 생각하면서도, 나는 예전처럼, 아니 어쩌면 예전보다 더 거친 생활을 해야 합니다. 이런 나 자신의 불행을 생각하면, 이제 나에게 행복이란 평생 없다고, 이것은 감상적인 기분이 아니라, 왠지 너무나도 명료하게 깨닫게 된 듯한 기분이 요즘 듭니다.

이것저것 생각하기 시작하면, 나는 술을 마시지 않고는 가만있을 수가 없습니다. 술에 의해 나의 문학관이나 작품이 좌우된다고 생각하지는 않지만, 다만 술은 내 생활을 심하게 흔들고 있습니다. 앞에서도 말했듯이, 나는 사람들을 만나도 만족스럽게 대화를 할 수 없고, 나중에 그 말을 했으면 좋았을 텐데, 이렇게 말해도 좋았는데 하고 아쉬워합니다. 사람을 만나면, 이야기를 하면서 거의 늘 현기증을 일으키는 바람에, 그만 술을 마시게 됩니다. 그래서 건강을 해치거나 살림이 궁해질 때도 종종 있어서, 집에는 늘 빈궁한 분위기가 감돕니다. 생활이 나아질 수 있도록 누워서 이것저것 머리를 짜내보기도 하지만, 그건 아무래도 죽지 않으면 나아질 수 없을 것 같은 지경에 와버린 것 같습니다.

나도 이제 서른아홉이 되는데, 앞으로 세상을 살아갈 것을 생각하면 아득해질 뿐, 여전히 어떤 자신감도 없습니다. 그렇기 때문에 이런 소위 겁쟁이가 처자식을 부양한다는 것은 오히려 비참이라고 해도 되지 않을까 하고 생각할 때도 있습니다.

1947년 말, 잡지 《소설 신초》의 '나의 반생을 말하다'라는 코너에 몇몇 작가들이 자신의 이야기를 실었다. 그때 〈문학의 들판에서〉라는 제목으로 실린 다자이의 글이다.

나의 작품을 말하다

나는 오늘까지, 내 작품에 대해 말한 적이 한 번도 없다. 싫은 것이다. 독자가 읽어서 이해하지 못한다면, 그걸로 끝인 이야기다. 창작집에 서문을 다는 것조차, 싫다.

자신의 작품을 설명한다는 것은, 이미 작가의 패배라고 생각한다. 한없이 불쾌한 일이다. 내가 A라고 하는 작품을 쓴다. 독자가 읽는다. 독자는 A가 재미없다고 한다. 싫다고 한다. 그걸로 끝인 것이다. 아냐, 재미있는데, 그런 항변은 성립할 수가 없다. 작가는 점점 더 비참해질 뿐이다.

싫으면 그만둬, 라는 말이다. 모두에게 이해받고 싶어서

할 수 있는 한, 정성을 다해 쓴 것이다. 그래도 이해하지 못한다면, 말없이 물러날 뿐이다.

나는 친구가 정말로 손에 꼽을 정도밖에 없다. 나는 그 몇 안 되는 친구에게도, 내 작품을 설명한 적이 없다. 발표하고 나서도, 말하지 않는다. 그 부분은 고심했어, 그런 말을 한 번도 한 적이 없다. 분위기를 깨는 것이다. 그런 고심담으로 남을 내리누르면서까지 의리의 갈채를 받으려는 생각은 없다. 예술은, 그렇게, 남에게 강요하는 것이 아니라고 생각한다.

하루에 서른 장은 거뜬히 쓸 수 있는 작가도 있다고 한다. 나는 하루에 다섯 장 쓰면 아주 으스댄다. 묘사가 서툴러서 고생한다. 어휘가 빈약해서, 펜이 머뭇거린다. 느린 펜은 작가의 치욕이다. 한 장 쓰는 데, 두세 번은 사전을 뒤적인다. 틀린 글자가 아닌지, 아무래도 불안하다.

자기 작품을 말하라, 라는 말을 들으면, 왜 나는 이렇게 화가 나는 걸까. 나는 내 작품을 그다지 인정하지 않고, 또한 다른 사람의 작품도 그렇게 인정하지 않는다. 내가 지금 생각하고 있는 것을, 그대로 솔직하게 말하면, 사람들은 바로 나를 미치광이 취급을 할 것이다. 미치광이 취급은, 싫다. 역시 나는, 침묵하고 있어야 한다. 조금만 더, 참는 것이다.

아아 빨리, 한 장에 3엔이 넘는 소설만 쓰고 싶다. 이런 걸로는, 작가는 쇠약해질 뿐이다. 내가 처음으로《문예》에 작품을 판 이후로 벌써 7년이 된다.

유행 작가가 되고 싶지 않다. 또 유행 작가가 될 리도 없다. 유행의 허무도 알고 있다. 1년에 한 권의 창작집을 내고, 3천 부 정도는 팔리면 좋겠다. 나는 지금까지 열 권 가까이 창작집을 내는 동안, 2천 5백 부 팔린 게 최고다.

내 작품은 아무리 생각해도, 영화로도 연극으로도 만들어질 여지가 없다. 그래서 뛰어난 작품이라는 말은 아니다.《죄와 벌》도,《전원교향곡》도,《아베 일족》도 버젓이 영화로 나와 있다.

〈여자의 결투〉가 영화로 되는 건, 있을 수가 없다.

아무래도 자기 작품을 말한다는 건 싫다. 자기혐오로 가득하다. 자기 자식에 대해 말해보라고 한다면, 시가 나오야 정도 되는 달인이라도 조금은 주저할 것이 분명하다. 잘난 자식은 잘난 자식이어서 사랑스럽고, 못난 자식은 더한층 애처로워 사랑스럽다. 그 사이의 미묘한 사정을 실수 없이 남에게 전달하기란 지극히 어렵다. 또한 그것을 억지로 말하게 하려는 것도 가혹하지 않은가.

나는 내 작품과 함께 살아 있다. 나는 언제나, 말하고 싶은 것은 작품 속에서 말하고 있다. 그 밖에 말하고 싶은 건 없다. 그렇기 때문에 그 작품이 거부당한다면, 그걸로 끝이다. 한마디도 더할 것이 없다.

나는 내 작품을 칭찬해준 사람 앞에서는 극도로 왜소해진다. 그 사람을 속이고 있는 듯한 기분이 드는 것이다. 반대로, 내 작품에 더러운 욕을 퍼붓는 사람을, 예외 없이 경멸한다. 무슨 말을 하는 거야, 하고 생각한다.

이번에 가와데쇼보 잡지사에서 근작만을 모아《여자의 결투》라는 창작집이 출간되었다. 여자의 결투는 이 잡지(《문장》)에 반년 동안 연재되면서, 쓸데없이 독자들을 지루하게 만든 모양이다. 이번에 모아서 한 권으로 묶은 것을 기회로, 감상을 한번 써보세요, 그 밖에 다른 작품들

얘기도 하면서 써주시면 더 좋습니다, 하고 편집자 쓰지모리 씨가 부탁했다. 쓰지모리 씨에게는 지금까지 늘 염치없이 굴어왔다. 거절할 수가 없다.

나는 새삼 쓸 만한 감상이 아무것도 없다. 요즘은 다음 작업에 빠져 있다. 친구 야마기시 가이시 군에게 편지를 받았다.

—〈달려라 메로스〉, 그 도리는 신에게 이어질 듯 하고, 〈유다의 고백〉, 그 애욕은 흙으로 돌아갈 듯하다.

가메이 가쓰이치로 군도 편지를 보내왔다.

—〈달려라 메로스〉, 재독, 삼독, 점점 더 좋다. 걸작이다.

친구는 고마운 존재다. 한 권의 창작집 안에서, 작가의 의도를, 제대로 끄집어내준다. 야마기시 군도, 가메이 군도, 적당히 건성으로 말하는 경박한 사람이 아니다. 이 두 사람이 알아준다면, 이미 그것으로 충분하다.

자기 작품을 말한다는 것은 노대가가 되어서나 하는 일이다.

엮고 옮기며

나는 내 작품과 함께 살아 있다. 나는 언제나, 말하고 싶은 것은 작품 속에서 말하고 있다.

〈나의 작품을 말하다〉 중에서

스스로 생을 마감하기 전에 쓴 자전적 소설《인간 실격》을 비롯해 다자이는 자신의 모습이 투영된 작품을 많이 남긴 대표적인 사소설 작가 중의 한 사람입니다. 아내 미치코는 결혼 전에 그의 작품을 읽고 "이 사람은 이렇게 자신의 이야기만 쓰면서, 마치 자기 자신을 갉아먹고 있는 것 같다" 라고 한 적이 있는데, "남에게 말도 제대로 못 붙일 정도로 여린 성격"의 다자이는 그렇기 때문에 스스로 힘겨워하면서도 글로써 자신의 이야기를 써나갔는지도 모르겠습니다.

흔히 그의 대표작으로 불리는《인간 실격》은 보통 독자들이 가장 먼저 접하는 다자이의 작품이지만, 호불호가 강한 작품이기도 합니다. 내용 자체가 우울하고 절망적인데다가, 작가 자신의 이야기라는 것에 놀란 독자도 있을 것입니다. 극단적인 우울함에 더 이상 이 작가의 글을 가까이하지 않게 된 분도 있을 테고, 아예 처음부터 이런 작가의 글은 읽지 않겠다는 분도 있을 것입니다.

하지만 다자이는 명랑하고 낭만적인 글도 많이 남겼습니다. 우울, 절망, 염세 등이 느껴지는 글도 많은 게 사실이지만, 독자들에게 그런 모습만 두드러지게 비쳐지는 건 아닐까 하는 생각이 들었습니다. 그래서 다자이의 자전적 작품 중에서 따뜻하고 유머러스한 글을 모아 소개하고 싶은 마음에 이 선집을 엮게 되었습니다.

이번 선집에 실린 작품들은 수필과 자전적 내용이 담긴 단편소설로, 다자이가 결혼과 함께 안정을 찾으며 많은 명작을 발표한 1938년에서 1942년 사이의 중기 작품들입니다. 초기작이나 후기작에 비해 비교적 밝고 유쾌한 다자이를 만날 수 있는 글들로, 삶에 대한 희망과 열의를 잃지 않고, 끊임없이 문학적 고민과 노력을 하던 다자이의 모습을 볼 수 있습니다.

특히 중기의 대표작이기도 한 〈부악 백경〉과 〈도쿄 팔경〉은 여러 힘든 역경을 이겨내고 새롭게 출발하려는 그 무렵 다자이의 모습을 볼 수 있는 흥미로운 작품들입니다. 〈부악 백경〉은 1939년에, 다자이가 서른 살에 결혼하여 그해에 발표한 단편입니다. 다자이는 1938년 초가을, 상처받은 마음을 추스르며 새로운 각오로 스승 이부세 마스지가 머무르고 있던 미사카 고개로 떠났습니다. 그곳에 머무르는 동안 천하찻집과 주변 사람들의 다정함에 힘을 얻으며 새로운 삶을 찾아가는 모습이 잔잔하고 따뜻하게 그려집니다.

〈도쿄 팔경〉은 1941년 다자이가 서른두 살에 발표한 단편입니다. 대학 입학 이후부터 현시점까지 이어진 10년간의 도쿄 생활을 회상하며 쓴 글로, 스스로 "청춘에 대한 고별사"라고 불렀던 작품입니다. "추억의 어두운 꽃"으로 남게 된 옛 풍경들이, 환한 희망이 느껴지는 마지막 두 풍경과 더불어 대조적으로 그려지는 작품입니다.

그 밖의 작품들 역시 결혼 후 처가가 있던 고후에 잠시 머물다가 도쿄의 미타카에 정착하게 되었을 무렵에 쓴 글들이며, 중기 작품 외에는 1946년 작인 〈희미한 빛〉과 〈찾는 사람〉, 1948년 작인 〈미남과 담배〉 등 후기작 세 편도 함께 실었습니다.

작가 기타 모리오는 "일본에서 유머를 쓸 수 있는 작가는 다자이뿐이다" 라고 평하기도 했는데, 특히 3장에 실린 작품들에서 다자이의 유머러스한 면을 볼 수 있습니다. 우울한 작가라는 이미지 때문인지 다자이 오사무와 유머는 왠지 어울리지 않을 거라고 생각하는 독자들도 있겠지만, 다자이는 유머러스한 글도 많이 남겼습니다. 물론 마냥 웃을 수만은 없는, 때로는 슬픔과 자조가 섞인 유머이기도 하지만, 그것이 다자이의 유머 문학에서 느낄 수 있는 매력이기도 한 것 같습니다.

우울하고 염세적이라는 선입견이 있지만, 지금까지 수많은 독자들의 마음을 울리며 읽히고 있는 작가이기도 한 만큼, 나사이 오사부의 다양한 모습을 소개하고 싶었습니다. 이 책이 다자이의 또 다른 모습, 새로운 매력을 보여줄 수 있기를 바라며, 나아가 그의 또 다른 작품들을 접하는 계기가 될 수 있다면 기쁘겠습니다.

옮긴이 박성민
도쿄외국어대학교 대학원에서 일본어학을 전공하고 통번역사로 일했다. 번역서로 《봄은 깊어》, 《심호흡의 필요》, 《세상은 아름답다고》, 《나쓰메 소세키 - 인생의 이야기》, 《다자이 오사무 - 내 마음의 문장들》, 《어느 바보의 일생》 등이 있다.

다자이, 다자이

2022년 7월 10일 초판 1쇄 찍음

지은이　다자이 오사무
펴낸곳　시와서 출판
펴낸이　송승현

출판등록　2016. 12. 6.
주소　경기도 파주시 책향기로 183, 1507-506
전화　070-8200-1604
이메일　siwaseo@gmail.com
블로그　blog.naver.com/siwaseo
인스타그램　www.instagram.com/siwaseo

ISBN　9791191783025